P9-DWS-968

Noëls d'antan

Dix récits choisis

Texte français de Martine Faubert

Éditions
SCHOLASTIC

Bien que les événements évoqués dans ce livre, de même que certains personnages, soient réels et véridiques sur le plan historique, les personnages sont pour la plupart de pures créations des auteures, et leurs journaux sont des ouvrages de fiction.

ISBN 978-1-4431-0608-5

Titre original: *Dear Canada A Christmas to Remember*
Tales of Comfort and Joy

Édition publiée par les Éditions Scholastic,
604, rue King Ouest, Toronto (Ontario) M5V 1E1.

5 4 3 2 1 Imprimé au Canada 114 10 11 12 13 14

Le titre a été composé en caractères BernhardMod Bdlt BT.

Le texte a été composé en caractères Goudy Old Style BT.

Table des matières

Introduction

J'ai le plaisir de vous présenter cette deuxième anthologie de récits de Noël, de la collection « Cher Journal ». Les livres de cette collection se sont vendus à des milliers d'exemplaires dans tout le Canada. L'une des histoires remonte à 1666, au moment où sont arrivées les Filles du Roy. Les autres représentent toutes les régions du Canada : de l'île de Vancouver à l'Acadie, du sud de l'Ontario à la Terre de Rupert. Les lettres que nous avons reçues et les commentaires que vous avez inscrits sur la page Web de la collection « Cher Journal » nous montrent que vous avez énormément apprécié ces livres.

Quand nous avons publié *Le temps des réjouissances*, vous avez été des milliers à retrouver ces fillettes que vous aviez appris à aimer. Dans cette nouvelle anthologie, vous retrouverez d'autres héroïnes de la collection qui vivent un Noël inoubliable : Fiona Macgregor de *Si je meurs avant le jour*, Anya Soloniuk de *Prisonniers de la grande forêt*, Julia May Jackson, héroïne du récit *Du désespoir à la liberté*, et sept autres encore. Vous retrouverez de vieilles amies et ferez peut-être la connaissance d'une nouvelle héroïne d'un volume de la collection que vous n'avez pas encore lu. J'espère que vous aurez encore du plaisir à laisser entrer dans votre vie ces filles formidables et que vous apprécierez les histoires de Noël qu'elles ont à vous raconter.

Joyeux Noël et bonne lecture!

Sandra Bogart Johnston, directrice de la collection « Cher Journal »

Fiona Macgregor

Si je meurs avant le jour

Fiona Macgregor,
au temps de la grippe espagnole
Toronto, Ontario
3 août 1918 - 22 mars 1919

JEAN LITTLE

Durant la période d'euphorie qui a suivi la Première Guerre mondiale, un ennemi différent, mais tout aussi redoutable, s'est abattu sur la population canadienne, tuant des milliers de personnes. La famille Macgregor n'a pas été épargnée : alors qu'elle tâchait d'oublier cette guerre et de panser ses plaies, Fanny, la jumelle de Fiona, puis sa sœur aînée Jemma, ont été frappées par la grippe espagnole. Néanmoins, une petite lueur d'espoir est venue éclairer le foyer des Macgregor.

Un Noël de réconfort

Dimanche 5 décembre 1920

Cher Benjamin,

Il y a environ une heure, Tatie m'a donné ce petit carnet en me demandant de raconter par écrit ton premier Noël puisque tu es trop jeune pour le fixer dans ta mémoire.

Je lui ai demandé pourquoi elle ne le faisait pas elle-même. Elle a dit que dans notre famille j'étais la seule à avoir des dons d'écrivain et qu'elle était trop occupée à faire la cuisine et à préparer les cadeaux et les décorations qui nous aideront à passer un joyeux temps des Fêtes malgré tout.

Je vais commencer par te présenter. Tu es mon DEMI-FRÈRE, car nous avons le même père, et aussi mon COUSIN, car ta mère est ma tante. Maman et Tatie étaient jumelles, comme Fanny et moi, et comme Jo et Jemma. Maman est morte quand Théo, ton grand frère, est né. Tatie est alors restée avec nous pour nous élever.

Puis, quelques années plus tard, papa et Tatie se sont mariés et finalement toi, Benjamin, tu es né. C'est assez compliqué et c'est même arrivé un peu à cause de moi. Mais la seule chose qui compte maintenant c'est que je suis ta sœur Fiona, que tu es mon frère Benjamin et que tu vas avoir un an le lendemain de Noël.

J'ai toujours adoré Noël. Je crois que j'ai toujours aimé cette fête plus que le jour de notre anniversaire, à Fanny et moi. C'est une fête bien plus importante qui touche tout le monde. Mais cette année, c'est différent. Un Noël, ce n'est pas censé être empreint de tristesse et de soucis, et pourtant c'est l'impression que me donne celui que nous sommes en train de préparer.

C'est comme si j'étais allée chercher notre boîte de décorations, pleine de rouleaux de ruban rouge, de boules de verre soufflé et de guirlandes argentées, et qu'en ouvrant le couvercle, je découvrais que tout était décoloré et abîmé. Cette comparaison est peut-être un peu étrange, mais elle décrit bien ce que je ressens. Si je me laissais aller, je fondrais en larmes. Mais pas question! Ce carnet ne doit pas servir à épancher ma peine, mais bien à raconter par écrit ton premier anniversaire de naissance.

Tu sais, Benjamin, Tatie doit vraiment aimer mon style d'écriture, sinon elle ne m'aurait pas demandé d'écrire cette histoire. À cette pensée, j'ai senti comme une grosse bulle de joie me remplir le cœur et chasser presque toute ma tristesse. J'adore écrire! Finalement, je vais peut-être bien m'amuser en écrivant dans ce carnet pour ton premier anniversaire. Je vais m'y mettre demain. Oublie tout ce que j'ai écrit jusqu'ici : ça ne compte pas.

Lundi 6 décembre 1920

Cher Benjamin,

Je vais commencer mon récit, même si je me sens encore très à plat. J'ai beaucoup de mal à écrire quand je suis dans cet état. Je voudrais me mettre au lit, tirer la couverture jusque par-dessus ma tête et me couper du reste du monde. Je me demande si Tatie se doute que je me sens d'humeur si morose. Probablement que oui. Elle a toujours su lire dans mes pensées.

D'habitude quand décembre arrive, je me sens joyeuse et fébrile. J'adore choisir des cadeaux, puis les offrir, et en recevoir aussi, bien sûr. J'adore aussi les contes et les cantiques de Noël, et la cuisine des fêtes. Théo participe en faisant le décompte des jours. Le Noël avant la mort de notre sœur Jemma, il s'était même mis à compter les heures à la fin.

Jemma est morte de la grippe espagnole il y a deux ans. C'était juste un mois avant Noël, et nous n'avions vraiment pas le cœur à fêter. Nous avons quand même essayé, car Théo était trop petit pour comprendre notre chagrin. L'an dernier, deux jours avant Noël, nous sommes partis tous ensemble à la ferme de Papi et Mamie et ne sommes revenus que le lendemain de Noël.

Être ailleurs permettait d'avoir une perspective différente des choses et aidait à traverser ce moment difficile.

Puis à l'instant même où nous avons passé le seuil de la porte de notre maison, Tatie a dit que papa devrait peut-être appeler le docteur. On ne t'attendait pas avant février, Benjamin. Alors personne ne pensait à toi. Mais tu étais pressé et tu es né ce soir-là, à huit heures. Je me souviens de t'avoir regardé, tout étonnée. Je n'avais jamais vu un être humain si petit et déjà si spécial. Après ta naissance, personne ne pouvait plus se sentir triste. Nous étions tous trop occupés. Papa a dit que tu devais savoir que nous avions besoin de toi avant le temps.

Cette année, nous resterons chez nous. Jemma va nous manquer terriblement, mais en plus, Jo sera absente. Son amie Caro et elle ont décidé de participer à l'organisation d'une fête de Noël pour des familles pauvres. Je crois que nous allons être aussi tristes que si nous étions pauvres, sans mes grandes sœurs. Quand Jemma était en vie, Jo et elle rendaient toujours le temps des Fêtes si joyeux!

Je sais. Nous t'avons *toi* pour nous réchauffer le cœur. Mais un bébé, même le plus mignon du monde, ne peut pas remplacer deux grandes sœurs. Théo, lui au moins, a son chien pour lui tenir l'esprit occupé.

Je me demande si Jo s'ennuie de maman autant que moi de Jemma. Je me souviens de maman, bien sûr, mais vaguement. Sept ans, c'est long! Je sais que son cantique préféré était *l'Adeste Fideles*.

Il y a autre chose qui ne va pas, Benjamin. Ces jours-ci, Fanny est presque une étrangère. Avant, je savais tout ce qu'elle pensait, mais depuis que les Gibson se sont installés ici, Constance et Fanny sont devenues inséparables. Je ne voudrais pas être médisante, mais je ne comprends pas ce que Fanny peut lui trouver. Chaque fois qu'elle passe devant un miroir, elle s'arrête pour s'y mirer.

Oh! Je suis incapable d'écrire plus longtemps aujourd'hui.

Mardi 7 décembre 1920

Cher Benjamin,

C'est presque l'heure d'aller au lit, et il fait noir, mais Fanny est partie se promener avec sa très chère Constance. Elles n'arrêtent pas de rire sous cape et de faire des messes basses, surtout à propos des garçons. Et elles font tellement d'efforts pour être élégantes!

Jalouse, moi, Benjamin? C'est la première fois que ça m'arrive. Avant nous partagions tout, même nos amies.

Je suis fatiguée et j'aimerais bien me mettre au lit, mais je suis incapable de m'endormir tant que Fanny n'est pas rentrée. Tatie me dit que c'est ridicule. Je lui ai expliqué que c'est parce que nous sommes jumelles, mais elle m'a fait remarquer que ma mère et elle aussi étaient des jumelles. C'est drôle, mais je pense rarement à elles de cette façon.

Fanny m'a lancé par-dessus son épaule que je devrais

venir moi aussi. Elle sait que je me sens rejetée, mais elle sait aussi que je trouve Constance insignifiante. Je n'ai pas eu besoin de le lui dire, elle le sait de toute façon. Quand j'ai répondu que j'étais occupée, Constance a ricané.

Peu m'importe, Benjamin. Quand il y a trois personnes, il y en a toujours une de trop.

Aujourd'hui, Tatie a fait du plum pouding. La maison embaume le sucre et les fruits, et j'en ai l'eau à la bouche.

Je suis censée parler de Noël dans ce carnet, et voilà que je m'y mets!

Théo veut que je corrige l'orthographe de sa liste de suggestions de cadeaux de Noël. Je lui ai expliqué que le Père Noël se fiche pas mal des fautes d'orthographe, mais ton frère préfère ne prendre aucun risque. Ce carnet va bientôt devenir plus intéressant, Benjamin. Promis! Déjà, j'y ai noté la bonne odeur du pouding.

Mercredi 8 décembre 1920

Cher Benjamin,

Au déjeuner, Tatie a décidé que j'avais une petite mine et que je ne devais pas aller à l'école. Fanny était très fâchée, ce qui m'a bien plu. J'écris ces lignes, assise sur le canapé et tu es assis dans ton parc, juste devant moi. Tu n'arrêtes pas de trouver des jouets à me lancer à la tête, et je fais semblant d'être si occupée à écrire dans ce carnet ou à lire le journal que je ne le remarque pas.

Dans les journaux, on parle des hommes qui sont au

chômage : ils seraient des milliers à Toronto seulement. Demain, une grande manifestation aura lieu. C'est terrible, tous ces hommes qui sont rentrés de la guerre et qui se retrouvent sans rien.

Tatie vient de t'emmener pour ta sieste. Je crois bien que je vais faire comme toi.

Le même jour, l'après-midi

Benjamin, je me demande si tu aimes Fanny plus que moi.

Je ne voulais pas l'écrire, mais c'est vrai. Je ne pense pas que tu me détestes, mais les bébés ne savent pas cacher leurs sentiments, et tu souris et bats des mains dès qu'elle te regarde. Je suis sûre que ton premier mot sera « Fanny ». Si elle était ici en ce moment, elle te libérerait de ta prison pour jouer avec toi. Mais elle n'est pas encore rentrée, alors tu n'as qu'à te contenter de moi. Je me demande si d'écrire ce genre de choses va nous aider à mieux nous connaître.

Nous venons tout juste de prendre notre collation : du lait et des biscuits. Heureusement que j'aime les biscuits secs. Mais pas tout mâchouillés! Désolée de ne pas avoir accepté le morceau que tu m'as offert : c'était vraiment trop dégoûtant!

D'accord. Je vais arrêter d'écrire et te montrer les images de jouets dans le catalogue du magasin Eaton. Mais laisse-moi d'abord te débarbouiller.

Jeudi 9 décembre 1920

Benjamin, on raconte dans les journaux que les hommes ont bel et bien fait leur manifestation. Ils étaient des centaines.

Pause cuisine

Fanny m'a demandé de venir faire du fondant au chocolat avec elle. C'était très agréable de travailler ensemble. Tu adorais les petites bouchées moelleuses que nous te donnions. J'ai encore mal au bras d'avoir battu ce fondant dans le grand bol, mais ça valait la peine. Nous en avons fait des tonnes. Miam!

En ce moment, Tatie te met au lit. Fais de beaux rêves, mon trésor!

Vendredi 10 décembre 1920

Cher Benjamin,

Je me sentais un peu mieux aujourd'hui, alors je t'ai emmené en promenade en traîneau après l'école. Tu étais encore plus mignon que tous les bébés du catalogue d'Eaton. Tu avais les joues toutes rouges et les yeux brillants de plaisir. Tu n'arrêtais pas d'envoyer la main et de parler dans ton langage de bébé.

Je t'adore, mon petit Benjamin. Tu me réconfortes.

Samedi 11 décembre 1920

Cher Benjamin,

Aujourd'hui la journée est plus excitante pour toi parce que Théo est parti patiner en laissant Hamlet pour nous tenir compagnie. Hamlet est un grand danois : il est donc à peu près cinquante fois plus gros que toi. Il est couché, le museau contre les barreaux de ton parc pour pouvoir t'avoir constamment à l'œil. On dirait qu'il sait que quand tu lui donnes des coups sur la tête, tu veux lui dire que tu l'aimes. En ce moment, il ronfle et tu trouves cela très drôle. Vous faites toute une paire de clowns!

Je suis censée parler de *toi*, Benjamin, mais là tu veux que je m'arrête pour te montrer une fois de plus le catalogue. Tu sais très bien te faire comprendre, crois-moi. D'accord. Nous allons regarder les vêtements d'enfants.

Pause lecture

Tatie vient juste de t'emmener pour changer ta couche. Entre-temps, je vais continuer mon récit. Pas facile d'écrire au sujet d'un bébé et de jouer avec lui en même temps. Peut-être feras-tu tes premiers pas avec moi? Je l'espère. Mlle Fanny en prendrait pour son rhume! Elle a passé toute la journée avec Constance, sans aider Tatie une seule seconde.

Je ne suis quand même pas une sainte non plus.

Dimanche 12 décembre 1920

Cher Benjamin,

Je ne suis pas d'humeur à écrire. Pourquoi donc ai-je promis à ta mère que je raconterais ton premier Noël dans les moindres détails? J'aurais dû le savoir...

Nous voici encore tous les trois réunis, toi dans ton parc, Hamlet à son poste de garde et moi en train d'écrire en rouspétant.

Pourquoi suis-je de si mauvaise humeur, demandes-tu? Fanny est partie se promener avec Constance et Wendell Bowman. Je n'aime pas ce garçon. Il se comporte comme si Fanny lui appartenait à lui tout seul. Il est de trois ans son aîné. Ça s'appelle « prendre une fille au berceau »! Je ne peux pas croire qu'il s'est amouraché d'elle!

Assez pour aujourd'hui.

Lundi 13 décembre 1920

Cher Benjamin,

Aujourd'hui j'ai découvert à quel point je tiens à toi. En revenant de l'école, j'ai étendu une couverture par terre dans le salon pour te donner plus de liberté de mouvement. On a sonné à la porte, et c'était un monsieur qui voulait voir papa. Puis j'ai pris quelques secondes pour courir aux toilettes. D'habitude, tu marches à quatre pattes et très lentement, alors je n'avais aucune inquiétude. Mais quand je suis revenue, tu avais disparu!

Je n'en croyais pas mes yeux! J'ai regardé tout partout. Tu n'étais NULLE PART.

Finalement, c'était Fanny qui t'avait pris avec elle. Elle t'avait emmené DEHORS pour te présenter à son ami Wendell. Elle ne t'avait même pas enfilé ton manteau ni tes mitaines, ni même enveloppé dans un châle. Quand elle est rentrée, tes petites joues étaient toutes rouges et tes mains presque bleues.

« Wendell le trouve adorable », a-t-elle roucoulé en te déposant sur la couverture. Puis elle est retournée dehors à toute vitesse.

Oh Benjamin! Après Jemma et Jo, on dirait que je perds Fanny maintenant.

Mardi 14 décembre 1920

Cher Benjamin,

Je me suis fait couper la frange. Le reste de mes cheveux tombe encore sur mes épaules. Fanny et moi nous ressemblons moins ainsi. Je suis plus grande qu'elle depuis qu'elle a été si malade avec la grippe. Et je porte des lunettes maintenant, car je suis myope. On aurait pu croire que Fanny en aurait eu besoin elle aussi, mais elle affirme qu'elle voit parfaitement. Elle s'est fait couper les cheveux courts il y a déjà un bon bout de temps; une vraie coupe au carré avec d'horribles guiches qui bouclent sur ses joues et une frange qui lui tombe jusqu'aux sourcils. Elle a dit que j'avais une jolie coupe de cheveux, mais je sais qu'elle la trouvait très moche. Je sais que ma coupe n'est pas élégante, mais, justement, je ne veux pas être élégante! Est-ce que je changerai d'avis? Peut-être quand les poules auront des dents!

Tatie me dit de ne pas me décourager et que je finirai bien par « me trouver ». Quel que soit le sens de l'expression.

J'aimerais que Jo soit plus souvent à la maison pour pouvoir lui parler. Depuis la mort de Jemma, Jo a changé. Je suppose que ce serait pareil pour moi, s'il arrivait malheur à Fanny. Mais maintenant que Jo vit dans l'univers des étudiants en médecine, elle étudie et est très occupée.

Je ne devrais pas oublier de te donner des nouvelles de Noël, Benjamin. C'est dans dix jours. Je le sais parce que Théo n'arrête pas de nous le rappeler. Tatie a accroché la couronne de Noël sur la porte d'entrée. Bientôt, nous allons décorer notre sapin.

Mercredi 15 décembre 1920

Cher Benjamin,

Je venais juste de m'installer pour t'écrire quand Fanny est entrée en coup de vent et s'est précipitée à l'étage. Papa la suivait, grommelant qu'elle avait l'air d'une dévergondée avec toute cette cochonnerie qu'elle avait sur le visage. J'ai attendu et, quand il s'est enfermé dans son bureau, elle est redescendue, le visage fraîchement lavé et les yeux rouges. Je pouvais entendre Constance et Wendell qui se tordaient de rire dehors.

« Fanny, les entends-tu? » ai-je dit.

Elle est restée immobile pendant une seconde, pour prendre le temps d'écouter. Puis elle m'a regardée, l'air furieux, et s'est précipitée dehors. Je me demande s'ils ont continué de rire d'elle, une fois qu'elle a été là.

Oh Benjamin! J'ai tant de peine pour Fanny. Elle a d'autres amis, et de bien meilleurs, mais on dirait qu'elle les a tous laissé tomber depuis que Constance et Wendell sont arrivés.

Je vais arrêter d'écrire ici et jouer un peu avec toi. Théo devrait arriver d'une minute à l'autre et pourra se joindre à nous. Nous te récitons des comptines en t'apprenant à taper dans les mains. Je me rappelle avoir fait la même chose avec Théo.

Jeudi 16 décembre 1920

Cher Benjamin,

Bientôt, tu sauras réciter ta première comptine. Je suis très fière de ta persévérance. Tu fronces les sourcils en nous regardant attentivement, Théo et moi, et tu tapes dans tes mains en gazouillant. Tu y es presque!

Après le souper

Fanny a été invitée à la danse de Noël des grands, et Tatie dit qu'elle est encore trop jeune. Fanny est hors d'elle. Elle *crie* après Tatie. Qu'est-ce qui lui arrive? Elle se prend pour une émancipée? Je la trouve vraiment casse-pieds.

Oh Benjamin! Fanny et moi avons toujours été si proches! Je ne supporte pas le froid qu'il y a entre nous, surtout en plein temps des Fêtes. Elle va finir par avoir le cœur brisé. Pourquoi ne les voit-elle pas tels qu'ils sont réellement?

Vendredi 17 décembre 1920
En pleine nuit

Cher Benjamin,

Quand nous avons été couchés, Fanny s'est relevée et s'est glissée hors de la maison en pleine noirceur. Papa et Tatie étaient déjà dans leur chambre, et Théo dormait profondément. Hamlet a bien grogné une fois, mais je suis la seule à l'avoir entendu. Je me suis levée pour aller voir à la fenêtre et j'ai aperçu Constance qui attendait. Fanny s'est absentée pendant toute une demi-heure!

Quand elle est rentrée, j'ai fait semblant de dormir, mais elle s'en est aperçue. Elle s'est remise au lit sans même allumer. Puis je l'ai entendue renifler. Elle pleurait. J'ai attendu quelques instants, puis je lui ai demandé ce qui n'allait pas.

« Pas tes oignons! » m'a-t-elle répondu.

J'ai attendu. Je savais qu'elle allait finir par me le dire. Alors, elle a dit que Wendell était si furieux qu'elle ne puisse pas venir au bal qu'il avait invité Constance, et qu'elle avait accepté.

Bien sûr, Benjamin, je savais que Wendell était une pomme pourrie, mais j'ai quand même du chagrin pour

Fanny.

« Je le déteste », a-t-elle dit pour terminer. Puis elle a ajouté en chuchotant : « Je les déteste tous les deux ».

Bonne nouvelle, Benjamin! Ensuite, elle s'est endormie, mais pas moi. Je ne devrais pas écrire tout ça dans ton carnet, mais je ne peux pas le raconter à papa et Tatie, et Jo est partie.

On aurait dit que j'étais la mère de Fanny, et non pas sa sœur. Mais maman est morte, et Tatie est occupée avec Noël et son petit Benjamin.

Je me remets au lit et je vais dormir. Enfin, je l'espère.

Samedi 18 décembre 1920

Cher Benjamin,

Dans moins d'une semaine, ce sera Noël. Pourtant, j'entends Tatie en bas qui, à la place d'un cantique de Noël, chantonne « Au renouveau du printemps joli, je te retrouverai mon ami ». Je vais chanter quelque chose qui va lui rappeler que nous sommes en HIVER.

Quinze minutes plus tard

J'ai entonné un cantique de Noël, et Tatie s'est tue. Puis je l'ai entendue rire. Maintenant elle chante un cantique de Noël. Un peu plus de saison, non?

Constance est passée, mais Fanny était partie faire des courses. « Tu lui diras que je suis passée la voir », a dit Constance en m'adressant un petit sourire narquois. Je *ne* lui ai *rien* promis. Je pense que Fanny a fait exprès de partir très tôt, au cas où Constance viendrait ici.

Fanny a dit que je ne pouvais pas l'accompagner. Elle doit sans doute m'acheter mon cadeau de Noël. D'après toi, Benjamin, qu'est-ce que c'est?

Pour *toi*, j'ai acheté une balle de chiffon et des cubes de bois avec les lettres de l'alphabet. Ils sont magnifiques!

Fanny vient de rentrer et s'est précipitée à l'étage avec des paquets à cacher. Sa vieille copine Margerie était avec elle. Je les entends qui jacassent comme des pies. Tout un progrès!

Dimanche 19 décembre 1920

Cher Benjamin,

À l'église, on m'a demandé de donner un coup de main avec les petits. Tu as été formidable! Quand Betsy Walker a hurlé comme une malade en se frappant le nez sur un barreau du parc, tu as rampé à quatre pattes jusqu'à elle et tu lui as tapoté le dos en gazouillant gentiment jusqu'à ce qu'elle retrouve le sourire. Nous avons appris aux plus grands à chanter *Dans cette étable*. Bon, d'accord : nous avons chanté, et ils nous ont accompagnées en marmonnant.

Les Fêtes, c'est un temps de l'année si joyeux, même si l'une des maîtresses de l'école pleurait parce que son mari, rentré de la guerre depuis presque un an déjà, n'a toujours pas de travail.

Je me sens tellement égoïste d'avoir hâte d'être à Noël, parce qu'une autre maîtresse a dit que ses enfants auront des cadeaux parce qu'ils ont des grands-parents pour y contribuer, mais que bien d'autres enfants n'auront rien du tout. Je voudrais pouvoir faire quelque chose, Benjamin, mais il doit y avoir des centaines de papas chômeurs qui ont des milliers et des milliers d'enfants. Je vais en parler à papa.

Lundi 20 décembre 1920

Cher Benjamin,

Papa et Théo ont rapporté un sapin à la maison. Il sent merveilleusement bon. Après plusieurs tentatives, nous avons fini par le faire tenir debout. Il est maintenant à moitié décoré.

J'ai amené sur le tapis la question des papas sans travail et de leurs enfants sans cadeaux. Bien entendu, nous ne pouvons pas tous les aider. Mais aider UNE famille dans le besoin, ce serait déjà bien, si seulement nous en connaissions une.

« Nous allons y réfléchir, Fiona », a dit papa, l'air à la fois sérieux et content.

Je lui fais confiance. Bonne nuit.

Mardi 21 décembre 1920

Cher Benjamin,

Toute la maison sent la forêt!

Dès que papa a fini de dire les Grâces avant le souper, Tatie nous a annoncé qu'elle avait trouvé une famille qui avait besoin de nous. « Mon petit doigt me l'avait bien dit », a dit papa en la regardant avec fierté. Elle nous a expliqué que, ce matin, elle était à la bibliothèque en train de rendre nos livres et qu'une dame était entrée pour s'y réchauffer. Elle avait l'air si désespérée que Tatie a décidé de lui parler. La famille de sa sœur n'a plus rien. Elle a dit qu'elle-même n'avait pas les moyens de les aider, avec ses quatre enfants et son mari qui a perdu une jambe à la guerre. Tatie nous a dit qu'elle a tout de suite su que c'était notre chance. Elle a donc continué la conversation afin d'apprendre où cette famille habitait et quel était le nom et l'âge de chacun des enfants. Elle s'est installée à une autre table pour les écrire, au cas où elle les oublierait.

Soudain, Théo a dit : « Il y a une montagne de cadeaux dans le salon. Peut-être pourrions-nous les partager avec eux? Je suis d'accord pour donner mon nouveau pyjama à rayures ».

« Comment sais-tu que tu as un nouveau pyjama à rayures? » lui a demandé Tatie, en prétendant être très fâchée. Il a fait un sourire angélique et a dit qu'un coin de l'emballage s'était déchiré quand il avait déplacé le paquet et qu'il l'avait vu bien malgré lui.

Tout le monde a éclaté de rire, Benjamin. Même toi!

Puis Tatie a sorti sa liste de noms de son sac à main, et nous sommes allés chercher des cadeaux que nous avions cachés. Désolée, Benjamin, mais j'ai déposé ta balle de chiffon dans le panier de Noël. Mais pas tes cubes de bois avec l'alphabet.

Les élèves d'anglais de la cinquième année avaient organisé une quête et avaient donné cet argent à papa pour qu'il achète une dinde de Noël. Nous avons donné cet argent, car nous avons déjà une dinde, qui vient de la ferme de Mamie et Papi. Nous allons tout emballer demain et, le 23 décembre, nous allons déposer le tout devant la porte de cette famille afin que leur maman cesse de s'en faire. Ils habitent à quelques rues d'ici. Papa a mis dans le panier des chaussettes que Grand-mère lui avait tricotées et une pipe avec du tabac. Puis Tatie a déposé une robe de nuit qu'elle s'était achetée exprès pour la soirée de Noël. Elle est très jolie, avec le col et l'ourlet bordés de dentelle. Papa l'a bien regardée, et je parie qu'il va lui en offrir une pareille.

L'aînée, Bélinda, a douze ans. Je lui ai donc donné un de mes précieux livres : *Rose et ses sept cousins*. J'ai adoré le lire quand j'avais son âge. Et je le relirais avec plaisir.

Fanny a dit qu'elle allait leur préparer du fondant au chocolat. Nous avons souri en nous jetant un regard complice. C'était merveilleux de se retrouver ainsi!

Mercredi 22 décembre 1920

Cher Benjamin,

Tu as fait ton premier pas! Et j'étais là pour te voir! Tu as lâché un côté du parc, tu as fait un pas pour couper le coin, puis tu as rattrapé l'autre côté de tes deux mains. Tu avais l'air tout surpris de ce que tu venais de faire.

Puis tu t'es assis. Je te surveille pour voir si tu vas recommencer.

Oui, bravo!

Quand j'ai couru l'annoncer à tout le monde, devine quoi! J'ai surpris Fanny en train de lire *Rose et ses sept cousins* avec MES lunettes sur le nez. Je les avais laissées sur la table parce qu'elles me faisaient mal au nez. Je n'arrivais pas à croire que ma sœur, qui est censée avoir des yeux de lynx, utilisait mes lunettes pour lire.

Je suis restée plantée là sans rien dire. Puis Tatie est arrivée. Elle s'est arrêtée à côté de moi, et nous regardions Fanny, toutes les deux figées de stupéfaction. « Que dirais-tu d'une paire de lunettes pour Noël, Fanny? » lui a dit Tatie d'une petite voix douce.

Fanny est devenue rouge comme une betterave et a laissé tomber le livre.

Je me suis finalement souvenue d'annoncer que tu marchais, quand tu t'es mis à brailler parce qu'on t'avait laissé tout seul trop longtemps. Je le leur ai donc raconté, et elles étaient très impressionnées. Puis tu l'as refait sous leurs yeux, ce qui les a convaincues.

Après le souper

Les paniers de Noël sont prêts. Ces gens vont être bien surpris, en découvrant leurs noms sur les paquets. Papa a fait une carte où il a écrit : De la part du Père Noël, avec tout mon amour et mes meilleurs vœux de Noël.

Théo a bien regardé la carte, puis a dit : « Tu écris

comme un vrai Père Noël ». Papa a souri et a dit qu'il avait fait de son mieux.

Théo l'a regardé et a dit : « Je vais quand même accrocher mon bas de Noël ».

« Moi aussi » a dit papa, en le serrant très fort dans ses bras.

Demain soir, quand il fera noir, nous irons déposer les paniers devant la porte de cette famille. Jo et Tatie vont rester à la maison avec toi, Benjamin, mais tout le reste de la famille tient à y aller.

Jeudi 23 décembre 1920
À l'heure du dodo

Cher Benjamin,

C'est fait! C'était très excitant! Il y avait deux gros paniers, l'un rempli de victuailles et l'autre, plein de cadeaux. Il y avait aussi quelques guirlandes, et papa a ajouté une enveloppe. Je crois qu'il y a mis un peu d'argent que la famille pourra dépenser à sa guise. Il a mis le doigt devant sa bouche, alors je n'ai pas posé de questions.

Nous avons transporté les paniers sur notre traîne sauvage et nous nous sommes arrêtés à quelques maisons de chez eux. Nous nous sommes cachés derrière un gros bouquet de cèdres. Quelques portes étaient ornées d'une couronne, mais pas la leur. Il était tard, et toutes les lumières étaient éteintes.

Puis papa a pris un des paniers, Fanny et moi avons

saisi l'autre chacune par une anse, et Théo nous a suivis en gambadant, prêt à ramasser ce que nous pourrions échapper. Et c'est arrivé : c'était une boîte de maïs soufflé, et Théo l'a aussitôt rattrapée. Nous ne faisions aucun bruit, même si j'avais le fou rire. Nous avons déposé les paniers devant leur porte et nous avons déguerpi avec notre traîne sauvage. Papa est resté sur le perron, le temps de frapper à la porte, puis est venu nous rejoindre à toute vitesse. Je ne l'avais jamais vu courir si vite! Nous avons attendu qu'une lumière s'allume, puis nous nous sommes enfuis avant qu'ils ouvrent la porte. J'aurais aimé rester encore quelques instants, le temps de voir la tête qu'ils feraient.

Demain soir, nous allons suspendre nos bas de Noël à la cheminée, le tien y compris, petit Benjamin, et ce sera merveilleux. Mais rien de ce qui pourra arriver à partir de maintenant ne pourra égaler ce qui s'est passé ce soir.

La veille de Noël
24 décembre 1920

Cher Benjamin,

Nous avons passé toute la journée à faire les derniers préparatifs et à emballer des petites surprises à glisser dans les bas de Noël. Toi, le plus PETIT d'entre nous, tu as le plus GROS bas parce que tu vas recevoir une montagne de cadeaux. On dirait le bas d'un géant! Théo a mis des carottes et des pommes pour les rennes du Père Noël. Jo est restée à l'hôpital.

Tatie dit que c'est l'heure de se mettre au lit. Je suis d'accord, car ainsi le matin de Noël arrivera plus vite. Mais c'est dur de se calmer. C'est pourquoi je t'écris.

Joyeuse veille de Noël, Benjamin.

Le jour de Noël
Samedi 25 décembre 1920

Cher Benjamin,

Il est né le divin enfant!

Jouez hautbois, résonnez musettes!

Quelle merveilleuse journée de fous! Dire que j'avais peur qu'elle se passe mal! Théo nous a tous réveillés avant que le jour se lève. Il est d'abord venu nous chercher, Fanny et moi, puis nous sommes allés te prendre dans ton petit lit. Tu étais surpris de nous voir, mais quand nous avons entonné « Dans cette étable », tu as souri et tendu les bras pour qu'on te prenne. Puis nous sommes allés réveiller papa et Tatie, et nous nous dirigions vers les escaliers quand une voix tout endormie a dit : « Hé! Attendez-moi, vous autres! » Jo était rentrée en pleine nuit afin d'être là pour ouvrir son bas de Noël. Caro était venue avec elle, et Jo avait trouvé le moyen de suspendre un bas de Noël pour elle aussi.

Nous avons reçu de beaux cadeaux et aussi toutes sortes de petits riens. J'ai eu un nouveau livre. J'ai toujours peur que papa et Tatie oublient qu'il me faut absolument un livre pour Noël, mais ce n'est encore jamais arrivé. Cette année, c'est une histoire d'amour de grandes personnes! Je suis déjà rendue presque à la moitié.

Tout de suite après le déjeuner de Noël, Théo est sorti pour aller « jouer dans la neige ». Du moins, c'est ce qu'il a prétendu. Benjamin, tu ne devineras jamais ce qu'il a fait. Il s'est rendu jusqu'à la rue où nous avons apporté nos paniers de Noël et il a joué avec les enfants. Quand il est rentré à la maison, il explosait de joie. Il avait appris comment la famille avait trouvé les paniers. Leur mère a même envoyé Bélinda chercher sa sœur (la dame à qui Tatie avait parlé), et tous ensemble ils ont pu célébrer Noël.

« Le petit garçon a même aimé le pyjama », a dit Théo à Tatie.

« C'était le plus beau du magasin! », a dit Tatie.

Théo a juré qu'il n'avait pas vendu la mèche en leur disant d'où venaient les paniers. Il était tout fier de son travail de détective.

Je le trouvais formidable jusqu'à ce qu'il s'arme de sa nouvelle épée et se mette à nous courir après en nous balafrant de la marque de Zorro. Il m'énerve! Son épée n'est pas acérée, mais elle fait quand même mal.

Constance est arrivée vers quatorze heures. Elle voulait que Fanny vienne se promener. Crois-moi, Benjamin : Fanny a été parfaite! « Désolée, lui a-t-elle répondu. Nous avons de la visite, et Noël est un jour qu'on passe en famille. Je ne suis pas libre demain non plus. C'est l'anniversaire de Benjamin, et Margerie James m'a invitée à me joindre au groupe de son église pour une promenade en traîneau. J'espère que tu passes un joyeux Noël. » Puis tandis que Constance marmonnait quelque chose entre ses dents, Fanny a refermé la porte tout doucement.

Ce soir, nous avons lu *Un chant de Noël*, de Charles Dickens. Nous avons commencé avant le souper afin que Théo puisse l'entendre jusqu'au bout, mais il est tombé endormi sur la carpette devant la cheminée, appuyé contre le flanc d'Hamlet.

Bonne nuit, Benjamin. Tu as presque un an. Ce carnet sera terminé demain. T'écrire va me manquer.

Mais pour Noël, j'ai reçu un magnifique journal intime, un gros carnet avec de belles pages de couleur crème. Ton incomparable maman sait toujours quoi m'offrir en cadeau.

Premier anniversaire de naissance de Benjamin
Le lendemain de Noël, 26 décembre 1920

Mon très cher Benjamin,

Ce matin, tu t'es réveillé très tard! Nous nous attendions tous à ce que tu nous réveilles à la première heure, comme d'habitude, mais non! Finalement, Théo s'est mis à faire du tapage. Il a chanté « Bon anniversaire » à tue-tête et s'est mis à courir dans tous les sens en tapant très fort des pieds, et tu as finalement ouvert les yeux. Je te regardais depuis la porte. Tu m'as alors regardée et tu as dit, vrai de vrai : « Fiii! » Puis tu as dit : « Fifi ». Tu peux m'appeler Fifi si tu veux, mon petit chou.

Fanny a essayé de te faire dire « Fan », mais tu n'as pas voulu. Tu n'as plus redit « Fifi » non plus, mais ce n'est pas grave. Je sais que tu le rediras.

Tu as adoré tes cadeaux. Et tu as encore fait un petit pas avant de retomber sur ton popotin. Que tu es brillant!

La journée a été merveilleuse, du début jusqu'à la fin. Pas la moindre anicroche. Aucune tension, aucun accrochage. J'ai même avoué à Fanny que j'étais jalouse de Constance quand j'ai commencé à écrire ce carnet pour toi, et elle m'a serrée très fort dans ses bras.

Nous avons eu de la visite pour ton premier anniversaire, Benjamin. C'est bizarre de fêter la naissance de Jésus, puis le lendemain le tien. Ça fait drôle aussi de savoir que nous chanterons encore pour la naissance du petit Jésus, alors que toi tu auras cinq ans, puis dix ans, et que tu ne seras plus notre petit bébé Benjamin.

Mais tu auras ce carnet d'anniversaire pour te rappeler comment nous nous sentions le jour où tu as eu presque un an. Je l'ai écrit pour toi et j'ai appris à t'aimer de tout mon cœur.

Bonne nuit, mon bébé Benjamin. Au revoir, Carnet de Benjamin.

Avec tout mon amour.

Anya Soloniuk

Prisonniers de la grande forêt

Anya Soloniuk,
fille d'immigrants ukrainiens

Spirit Lake, Québec
13 avril 1914 - 21 juillet 1916

MARSHA FORCHUK SKRYPUCH

Anya et sa famille ont été forcées de passer une partie de la Première Guerre mondiale au camp d'internement de Spirit Lake, au Québec. Elles ont été considérées non seulement comme des étrangers, mais qui plus est, comme des « sujets d'un pays ennemi » qu'il fallait isoler pour des raisons de sécurité nationale. Maintenant, elles vivent dans la pauvreté, même si le travail d'Anya à la manufacture les aide un peu. Néanmoins, le Noël qui s'en vient s'annonce plus gai que celui de l'an dernier au camp d'internement, mais à condition de faire taire les vieilles rancœurs.

Un visiteur inattendu

Lundi 18 décembre 1916

Chère Irena,

Mon contremaître m'a donné quelques feuilles tirées de son registre comptable. Je peux donc enfin t'écrire pour te raconter tout ce qui m'est arrivé. Je vais garder ces feuillets sur moi et quand je les aurai tous remplis, je te les enverrai d'un coup. La poste coûte si cher! Écris-moi quand tu le pourras. Tu m'es tellement chère!

Je crois que mon contremaître se fait du souci pour moi parce qu'une fois de plus, je suis assise toute seule pour le dîner. Maintenant que j'ai été promue, les autres filles semblent m'éviter. Je ne parle pas de Slava ni de Maureen. Mais depuis ma promotion, elles et moi n'avons jamais les mêmes heures de dîner.

Nous avons une énorme commande d'uniformes

d'infanterie, et j'en ai mal à la tête. Le tissu est plus rêche que celui des chemisiers pour dames que nous cousons habituellement, et les filles n'y sont pas habituées. Je voudrais rentrer sous terre chaque fois qu'elles se piquent le bout d'un doigt avec une aiguille. Il y a à peine quelques semaines, je travaillais moi-même sur une de ces machines à coudre.

Je suis peinée pour les filles et, en même temps, je ne peux pas m'empêcher de penser à ce à quoi vont servir ces uniformes. Tant de gens sont sans cesse envoyés outre-mer pour aller se battre dans cette terrible guerre. Et qu'en est-il de notre ancienne patrie, Irena? Je sais qu'en ce moment même, on se bat en Ukraine. Un soldat canadien portant un de ces uniformes va-t-il se retrouver à combattre un de mes anciens voisins d'Horoshova?

La sirène vient de retentir. Je dois reprendre mon travail.

Avant de me coucher

Oy, Irena! Stefan m'a montré les sous qu'il a gagnés aujourd'hui. Il a vendu toutes les écharpes et toutes les paires de mitaines qu'il avait.

Je suis soulagée. Les dernières semaines n'ont pas été très bonnes pour son nouveau commerce. Mais avec Noël qui approche, les affaires ont repris. Il met de côté tout ce qu'il peut.

Nous sommes très à l'étroit dans notre appartement,

avec Baba, Mama, Tato et Mykola, bien sûr, en plus de Slava (son père va-t-il revenir un jour?) et Stefan, avec sa mère et son père. Quand ses grands frères vont rentrer de la guerre, nous allons être tassés comme des sardines! Où pourront-ils s'installer pour dormir? Au moins, avec tout ce monde, nous sommes au chaud, même par les nuits les plus froides.

En parlant des frères de Stefan, il a reçu une carte de Noël de la part d'Ivan. C'est celui de ses frères qui se fait appeler John Pember. Il se bat en France. Il a décoré la carte en brodant des dessins et des mots avec du fil rouge et vert. Il y a inscrit la devise de son régiment : *Facta non verba*. Et aussi : Joyeux Noël.

Je ne sais pas ce que signifie *Facta non verba*.

Demain, c'est la Saint-Nicolas. J'ai si hâte! J'ai des cadeaux pour tout mon monde.

Mardi 19 décembre 1916
Jour de la Saint-Nicolas

Mama a posé la question à Mme Haggarty. *Facta non verba*, en latin, signifie « Des gestes, pas des mots ». J'aime bien cette devise, pas toi?

Oh, Irena! Stefan m'a offert un cadeau extraordinaire. Je n'arrive pas à comprendre comment!

Mercredi 20 décembre 1916

Désolée, Irena! J'ai dû m'interrompre brusquement, hier soir. Quand je suis à la maison, j'ai du mal à trouver le temps ou un endroit pour écrire. Une fois les matelas déroulés par terre et les draps tendus à travers la pièce, je peux à peine bouger! Le pire c'est quand quelqu'un doit se lever en pleine nuit pour aller aux toilettes extérieures. Hier soir, la mère de Stefan a trébuché contre mon pied et a failli tomber sur Baba.

Tato a éteint juste au moment où j'allais écrire un peu plus longuement au sujet du cadeau de Stefan. C'est une simple petite enveloppe avec mon nom soigneusement inscrit dessus à l'encre verte. Dedans il y a un carton d'invitation qui dit ceci :

Vous êtes cordialement invitée
à prendre le thé avec
Monsieur Stefan Pemlych
au restaurant du
grand magasin Ogilvy
le samedi 30 décembre 1916
à 16 heures

Je voyais bien que Stefan l'avait écrit lui-même, et il lui a probablement fallu beaucoup de temps, car la calligraphie n'est pas son fort.

Sais-tu ce que c'est, de boire le thé, Irena? Je croyais qu'il s'agissait de simplement boire une tasse de thé, mais Stefan a dit que je me trompais, qu'il y avait du thé, oui, mais que ce n'était pas ce que je pensais. Quand j'essaie d'en savoir plus, Stefan se contente d'un petit sourire en coin. J'ai si hâte au 30 décembre!

Jeudi 21 décembre 1916

Irena, hier en rentrant du travail, j'ai vu un homme qui a déjà dû être un soldat. Il se tenait à l'angle d'un bâtiment, le col relevé afin de se protéger du froid. Il y avait quelque chose de familier dans sa façon de se tenir. Ne me demande pas pourquoi, mais je savais qu'il avait été à l'armée même s'il ne portait pas d'uniforme. Il avait l'air d'avoir froid et d'être seul, et il tendait sa casquette pour quêter. Je suis vite passée devant lui sans le regarder. Je n'avais pas un sou à lui donner.

Oy! Irena, penses-tu que je suis une mauvaise personne d'avoir agi ainsi?

Vendredi 22 décembre 1916

Chère Irena,

Je suis encore assise au travail, même si j'aurais dû rentrer il y a une heure déjà. Je regarde par la fenêtre et je me demande comment je vais faire pour rentrer. La neige tombe si drue qu'on ne voit que du blanc. Et le vent est si fort et si glacial qu'il me transperce les os. Le contremaître nous a laissées rester à l'intérieur parce qu'il craignait que nous nous égarions en tentant de nous rendre à la maison. Je vais peut-être devoir passer la nuit ici. Il fait si noir dehors.

Samedi 23 décembre 1916

Oy, Irena! Quelle aventure! En ce moment, je suis à la maison et c'est le début de l'après-midi. Hier, tandis que je t'écrivais, la porte de la manufacture s'est ouverte. Un tourbillon de neige s'y est aussitôt engouffré, en même temps que Tato et Stefan. Ne nous voyant pas rentrer, Slava et moi, ils étaient venus nous chercher.

Quand nous sommes arrivés à l'appartement, j'étais trempée jusqu'aux os et grelottante de froid. Slava avait glissé sur une plaque de glace et avait failli se fouler la cheville.

Ce matin quand nous nous sommes rendues au travail, il faisait beaucoup plus froid, mais je préfère avoir froid que d'être trempée. L'air était pur, et il n'y avait pas un souffle de vent. La neige scintillait de mille feux sous les rayons du soleil. J'adore les tempêtes de neige parce que, après, les rues semblent toutes propres.

Dimanche 24 décembre 1916

Hier en rentrant du travail, Mama nous a rapporté une énorme dinde fraîche. Elle a dit que Mme Haggarty en avait offert une à tout le personnel de cuisine afin que chacun puisse célébrer Noël avec un dîner typiquement canadien. C'est gentil de sa part, n'est-ce pas? As-tu déjà mangé de la dinde? Moi, jamais. Mama l'a enfouie dans la neige pour la garder au frais, et Baba va la faire cuire demain.

Lundi 25 décembre 1916
Cinq jours avant l'invitation
à prendre le thé avec Stefan!

Chère Irena,

Je t'écris de la maison, même si c'est un lundi et en pleine journée. Aujourd'hui, c'est le Noël des Canadiens, alors nous avons congé. J'ai l'estomac qui gargouille. Tout ce que je sens, c'est la délicieuse odeur de la dinde rôtie. Baba l'a garnie d'une farce au pain, puis en a frotté la peau avec de l'ail et du poivre, et depuis elle rôtit. Mama dit que personne n'utilise jamais d'ail chez Mme Haggarty. Comment peut-on ne pas aimer l'ail?

J'ai si hâte de goûter à la dinde! Mme Pemlych a fait une compote de canneberges, très semblable à la compote d'airelles rouges de nos vieux pays. Elle dit que les Canadiens en servent avec la dinde. Manger du sucré avec de la viande : peux-tu imaginer? Les Canadiens ont de curieuses coutumes, et je veux toutes les essayer. Je suis très contente que nous célébrions le Noël canadien et le vrai Noël. Vas-tu célébrer les deux fêtes toi aussi, Irena?

P. S. Oy, Irena! J'ai trop mangé. La dinde était savoureuse, surtout la chair brune. La compote de canneberges était divine en accompagnement.

Mardi 26 décembre 1916
Quatre jours avant l'invitation
à prendre le thé avec Stefan!

Chère Irena,

Aujourd'hui dans le journal, il y avait la photo d'une montagne de pommes de terre. En Belgique, les gens meurent de faim, et elles leur sont destinées. Je me sens si coupable! Je suis là, le ventre encore plein de dinde, alors que de l'autre côté de l'Atlantique, des gens meurent de faim. Si les Belges sont si affamés, alors qu'en est-il dans notre ancienne patrie? Ils doivent mourir de faim là-bas aussi. J'aimerais tant pouvoir emballer une part de notre dinde et l'envoyer à Horoshova!

On rapporte aussi que le Père Noël a rendu visite à des soldats blessés en Grande-Bretagne. C'est curieux, ce nom de Père Noël donné à saint Nicolas, ne trouves-tu pas? Ces soldats ont été blessés en France. Je me demande si John Pember est du nombre. J'espère que non. Sais-tu ce que les soldats ont eu à manger? De la dinde! J'espère qu'ils ont aussi eu de la compote de canneberges!

Mercredi 27 décembre 1916
Trois jours avant l'invitation
à prendre le thé avec Stefan!

Aujourd'hui dans le journal, il y avait une liste de soldats canadiens morts au combat. Je me sens si triste quand je pense à cette terrible guerre et à tous ceux qui en souffrent, des deux côtés.

Jeudi 28 décembre 1916

Chère Irena,

J'ai revu cet homme, et tu ne le croiras jamais : c'est Howard Smythe, le méchant garde du camp d'internement! Pas surprenant qu'il m'ait semblé familier! Il se tenait recroquevillé, au même coin de rue, les bras croisés sur sa poitrine. Aujourd'hui, il faisait doux, avec une toute petite neige dans l'air et pourtant, Howard Smythe grelottait comme s'il avait été dans la rue depuis très longtemps. Il ne serait plus garde au camp d'internement de Kapuskasing? Je me demande où il travaille et où il habite.

Vendredi 29 décembre 1916

Demain, je prends le thé avec Stefan!

Oy, Irena! Il est minuit, et je viens juste de rentrer du travail. J'ai glissé une chaise sous la fenêtre et j'ai entrouvert le rideau pour pouvoir écrire avec l'éclairage du réverbère. Le contremaître voulait que les uniformes soient terminés avant la fin du mois parce qu'il attend une autre grosse commande en janvier. Il a offert une prime à toutes celles qui voulaient rester plus tard. Nous étions peu nombreuses, même en comptant Slava, Maureen et moi. Il a fait avertir nos familles pour qu'elles ne s'inquiètent pas, puis nous avons travaillé jusque dans la soirée. À neuf heures du soir, il a apporté des beignets de poisson et des frites enveloppés dans du papier journal et il nous a aussi donné une bouteille d'un breuvage qui s'appelle du Coca Cola. Les bulles de ce Coca Cola me picotaient la langue, et c'était délicieux. J'étais un peu réticente à manger de la nourriture enveloppée dans du journal, mais le contremaître nous a dit que c'était un mets très populaire chez les Canadiens. Le poisson était enrobé d'une succulente pâte à frire bien croustillante, comme celle de Baba, et ces « frites » ressemblent beaucoup à nos *smazhena kartoflia*. Alors tu t'imagines comme c'était délicieux. Puis nous avons repris notre couture et avons terminé la commande juste avant 23 heures. Le contremaître nous a ramenées chez nous dans sa carriole et nous a payées 25 cents chacune. Cette somme s'ajoute à mon salaire normal de 30 cents la journée. Je suis épuisée et j'ai mal aux mains, mais je n'arrive pas à dormir. J'ai si hâte à demain!

Samedi 30 décembre 1916

Chère Irena,

Enfin le jour du thé avec Stefan!

Quand la manufacture a fermé à midi, je suis vite retournée à la maison. J'ai mis ma plus belle jupe et ma plus jolie blouse du dimanche, et Stefan a mis la belle chemise blanche que je lui ai confectionnée pour la Saint-Nicolas. Il faisait un froid de canard, alors nous nous sommes serrés l'un contre l'autre et nous avons pris le tramway qui va au centre-ville. *Oy*, Irena! Depuis le temps que nous habitons ici, je n'étais jamais entrée dans un de ces chics magasins du centre-ville de Montréal.

Le magasin Ogilvy a d'immenses vitrines où sont exposés des articles pour dames, comme des parfums, des gants et des chapeaux. Nous en avons fait le tour, et la tête me tournait devant tant d'abondance. En plus, il y a un ascenseur, Irena! Nous sommes entrés, et un homme en uniforme nous a demandé de nous placer au fond. J'avais des papillons dans le ventre quand il a refermé la porte en abaissant le gros levier. Je me suis sentie comme dans le transatlantique bondé de monde. Soudain le plancher s'est mis à bouger! Nous sommes montés jusqu'au dernier étage, où se trouve le restaurant Ogilvy. Irena, tu ne devineras jamais ce qui est arrivé ensuite! Un homme habillé d'une jupe courte nous a accueillis, a pris nos manteaux et nous a conduits à une table. Je ne savais plus où regarder! Il portait de longs bas de laine, mais ses genoux étaient nus. J'ai rougi tant j'étais gênée, et Stefan m'a lancé un petit sourire. Il m'a expliqué que cet homme portait le kilt traditionnel des Écossais. Ogilvy est un magasin écossais, Irena. Ce kilt était fait d'un tissu à carreaux verts, noirs et rouges. C'était très joli. Les nappes qui recouvrent les tables ont le même motif. Une fois assise, j'ai regardé tout autour et j'étais bien contente d'avoir mis ma plus belle tenue du dimanche. La plupart des tables étaient occupées par des dames âgées, toutes très bien vêtues. L'une d'elles, assise à une table près de la nôtre, nous a examinés de la tête aux pieds, pensant que je ne la voyais pas faire. Je trouve que ce n'était pas très poli de sa part. Ses vêtements sont peut-être plus dispendieux que les nôtres, et sa coiffure plus élégante, mais nous avons de bien meilleures manières!

Une dame vêtue d'un long (Dieu merci!) kilt est venue nous voir et a tendu un menu à Stefan. Il l'a regardé, l'air très sûr de lui, puis lui a dit que ce serait un « thé d'honneur ».

Quelques minutes plus tard, elle est revenue et a déposé un plateau sur notre table. Il y avait une théière en porcelaine ornée de motifs de fleurs, deux jolies tasses, de la crème, du lait, du sucre, du citron et des cuillères. J'étais perplexe. Stefan avait dit que nous n'aurions PAS SEULEMENT du thé, alors qu'il n'y avait que cela. Nous attendions qu'il ait fini d'infuser quand la dame est revenue et a déposé un plateau à trois étages à côté de notre thé. Oy! Irena, tu aurais dû voir tout ce qu'il y avait dessus! En bas, tout un assortiment de petits sandwichs au pain blanc, de la grosseur d'une bouchée : beurre et confiture de fraises, concombre, saumon, œufs, jambon et fromage. Au milieu, toutes sortes de pâtisseries : scones aux raisins secs, brioches moelleuses et muffins anglais. En haut, des « petits fours », comme on nous a dit. Ce sont de très jolis petits gâteaux recouverts de fondant aux couleurs pastel. Ils appellent cela le « thé d'honneur » probablement à cause de ce plateau à trois étages qui est si imposant.

Nous avons mangé et bavardé pendant plus d'une heure sans jamais voir le fond de la théière, car la dame venait constamment la remplir d'eau chaude. Comme il restait encore quelques sandwichs et petits fours quand nous avons eu terminé, la dame les a mis dans une petite boîte pour que nous les rapportions chez nous. Nous avons retraversé tout le magasin, puis nous sommes sortis attendre le tramway.

L'air froid me pinçait le visage, et je me suis mise à penser aux gens qui n'ont pas assez à manger de l'autre côté de l'Atlantique et à tous les soldats qui sont partis se battre à la guerre. Soudain toutes ces délicatesses, sandwichs, brioches et gâteaux, me sont restés sur l'estomac. J'ai regardé la boîte que j'avais à la main, puis j'ai dit à Stefan : « Je connais quelqu'un qui a faim ».

Nous avons pris le tram et nous sommes descendus à quelques arrêts avant le nôtre. J'ai expliqué à Stefan qui je voulais voir. *Oy!* Irena, Stefan a blêmi de colère. « Après tout ce qu'il nous a fait endurer, tu vas *lui* donner à manger? » m'a-t-il dit.

C'était notre première dispute depuis longtemps. À la fin, Stefan n'était toujours pas d'accord avec ma décision, mais il a accepté de m'accompagner afin de me « protéger ». Nous avons marché jusqu'à l'endroit où Howard Smythe se tient habituellement, mais il n'y était pas. J'ai donc déposé la petite boîte sur le rebord d'une fenêtre, en espérant qu'il la verrait à son retour.

Lundi 1er janvier 1917

Aujourd'hui dans le journal, il y avait un article à propos d'un camp d'internement à Sudbury, qui a été incendié. Un homme est mort, et plusieurs ont dû prendre la fuite. Ce texte m'a rappelé de bien mauvais souvenirs, Irena. Et en allant travailler aujourd'hui, j'ai revu Howard Smythe. Il m'a regardée droit dans les yeux, et moi de même, mais nous ne nous sommes pas dit un mot ni même fait un signe de tête en guise de reconnaissance. J'espère qu'il a trouvé ce que je lui ai laissé à manger. Irena, vas-tu me trouver sans coeur si je t'avoue que, même s'il vit dans la misère maintenant, chaque fois que je le vois, je suis toujours en colère à cause de ce qui nous est arrivé au camp?

Mercredi 3 janvier 1917

Mardi, la même équipe que la dernière fois a fait des heures supplémentaires à la manufacture. Le contremaître nous a encore apporté du poisson-frites et de ce merveilleux Coca Cola. Pourquoi quand je travaille tard, ensuite j'ai du mal à m'endormir? Pourtant, je devrais être plus fatiguée que d'habitude.

Howard Smythe était à sa place habituelle quand je suis partie travailler ce matin, et cette fois-ci il a dit quelque chose. Je ne suis pas sûre de ce qu'il a dit, à cause du vent. En revenant à la maison, je me suis sentie suivie. Je n'arrêtais pas de regarder derrière moi, mais je n'ai vu personne. Peut-être que c'est seulement dans ma tête.

Vendredi 5 janvier 1917

Oy! Irena, maintenant j'ai peur. Hier matin quand je suis partie travailler, j'ai revu Howard Smythe. Il n'était pas à sa place habituelle. Il se tenait appuyé contre le mur de l'immeuble en face de chez nous. Pourquoi?

Aujourd'hui, je ne l'ai pas vu du tout. Je l'ai dit à Tato, et ce soir Stefan, M. Pemlych et lui ont parcouru tout le voisinage sous la pluie battante, à sa recherche. Pourquoi suis-je plus troublée par sa disparition que par le fait qu'il nous épie? Demain, c'est *Svyat Vechir*, et je devrais avoir hâte, mais à la place je broie du noir.

Samedi 6 janvier 1917
Svyat Vechir

Chère Irena,

À midi, tandis que je revenais du travail à pied, je repensais à tout ce que j'ai vu et fait depuis la dernière veillée ukrainienne de Noël. Nous ne sommes plus au camp d'internement, et c'est un réel soulagement. J'ai un bon salaire à la manufacture, et Tato aussi à la sienne. Maman a une bonne place chez Mme Haggarty. Mykola peut maintenant retourner à l'école. J'avoue que je suis jalouse de mon petit frère. Est-ce mal? J'aimerais tellement retourner à l'école moi aussi! Mais je sais que quand la guerre sera finie, nous allons probablement tous perdre notre travail. Nous devons donc mettre nos sous de côté tant que c'est possible. Même si nous sommes à l'étroit dans notre petit appartement, j'aime bien vivre auprès de Stefan et de sa famille. Je me sens en sécurité. Je suis heureuse, Irena, vraiment heureuse. Il n'y a qu'un seul petit problème, et c'est Howard Smythe.

Dimanche 7 janvier 1917
Rizdvo

Chère Irena,

J'ai mille choses à te raconter, et il ne me reste presque plus de papier!

Hier soir, Mykola regardait par la fenêtre, à attendre que nous commencions notre repas dès l'apparition de la première étoile. Soudain, il a crié : « Il y a un homme dehors et il n'arrête pas de me regarder ».

C'était Howard Smythe!

Tato a enfilé son manteau et est sorti. De l'intérieur, nous n'entendions que le bruit de leurs voix étouffées. As-tu déjà assisté à une séance de cinéma muet, Irena? Pas moi, mais je pense que ça doit ressembler à quand nous regardions Tato et Howard Smythe se parler, de derrière la fenêtre. M. Pemlych et Stefan voulaient y aller eux aussi, mais maman leur a bloqué le passage de la porte en disant que Tato avait l'air d'avoir la situation bien en main. Ils ont discuté pendant une éternité, puis tout d'un coup tout semblait être réglé. Tato a tendu la main, et Howard Smythe la lui a serrée. Puis la porte s'est ouverte, et ils sont entrés tous les deux.

Howard Smythe, sans franchir le seuil, a retiré son manteau et son chapeau. Les vêtements qu'il portait sous son manteau étaient miteux et pas très propres, et il semblait en être gêné.

Tato l'a conduit jusqu'à la table et dit : « Nous sommes honorés de votre présence en cette soirée ».

Je suis restée sans voix, Irena. Oui, c'était *Svyat Vechir* et, bien sûr, c'est la tradition d'inviter des étrangers à partager notre repas ce soir-là, mais *Howard Smythe*? De quoi avaient-ils discuté, Tato et lui, dehors tout à l'heure?

Au début, la conversation était étrange et guindée, puis Mykola a lâché : « C'est vous le soldat qui a été si méchant avec Anya au camp d'internement? »

Tato a fusillé Mykola du regard, et je me suis sentie rougir. Howard Smythe a cligné des yeux, puis a déposé sa fourchette : « Exactement, mon garçon », a-t-il dit.

Puis il s'est tourné vers moi. « Je suis désolé pour ce que je t'ai fait », m'a-t-il dit.

J'étais tellement sous le choc, Irena, que je me suis contentée de hocher la tête.

Howard Smythe a soupiré, puis nous a tout raconté. Il y a quelques semaines, il a été exclu des rangs de l'armée pour cause de conduite déshonorante et il est revenu à Montréal. À cause de cette disgrâce, il ne peut pas trouver de travail, alors il doit loger au YMCA et mendier dans la rue.

« Maintenant je sais que cela a été dur pour vous, quand vous êtes arrivés dans ce pays, a-t-il dit. Mais à l'époque, je ne pouvais pas vous voir autrement que comme de sales étrangers. »

J'en suis restée bouche bée, Irena. Mama, elle, n'a pas bronché.

« Quand je suis revenu ici et que j'ai vu que vous aviez du travail, contrairement à moi, ça m'a mis en colère. » Il a secoué la tête, puis m'a regardée dans le blanc des yeux. « Je t'ai vue quand tu as laissé cette boîte de nourriture pour moi, a-t-il dit. Ça m'a fait réfléchir. Je voulais te remercier pour ta gentillesse », a-t-il finalement ajouté.

Oy! Irena, c'était une soirée si extraordinaire! Je me sens comme si on m'avait enlevé une épine du pied. Quand le repas a été terminé et qu'Howard Smythe a été reparti, je me suis juchée sur les genoux de Tato, comme quand j'étais petite.

« Que me vaut l'honneur? » m'a demandé Tato.

« Je veux te remercier d'avoir invité Howard Smythe à souper. ».

Tato m'a serrée dans ses bras et a dit : « C'était *Svyat Vechir*. Et franchement, ça fait du bien de ne plus être en colère ».

« J'aimerais pouvoir faire davantage pour lui. »

« Moi aussi, a dit Tato. Nous avons besoin d'aide à la manufacture. Si je glisse un mot à son sujet, et M. Pemlych aussi, Howard Smythe pourrait peut-être s'y trouver une place. »

Les mots me manquent pour te dire à quel point je me sens réconfortée, Irena. J'espère de tout mon cœur que le plan de Tato va marcher. Cela me rappelle la devise de John Pember : « Des gestes, pas des mots ».

Je n'ai plus de papier, alors je vais m'arrêter ici. Stefan et moi allons nous promener dans la neige. Dehors, tout est blanc comme une feuille de papier vierge. Un sombre chapitre de ma vie vient de se terminer, et je me sens prête à repartir du bon pied.

J'espère que tu aimes le ruban rouge que j'ai utilisé pour rassembler toutes ces pages. Je l'ai acheté durant les soldes de l'Après-Noël. Il doit être très beau dans tes cheveux.

Écris-moi bien vite, chère Irena. Je recommencerai à t'écrire quand j'aurai trouvé d'autre papier.

Ta fidèle amie,

Anya

Déborah Bernstein

Entrée refusée

Déborah Bernstein,
au temps de la
Seconde Guerre mondiale

Winnipeg, Manitoba
6 décembre 1941 – 5 novembre 1942

CAROL MATAS

Déborah continue de sensibiliser les gens au sujet du destin tragique des Juifs d'Europe sous le régime nazi d'Hitler. Elle s'inquiète aussi pour ses frères qui sont au loin, l'un comme pilote de l'aviation canadienne et l'autre dans un camp de prisonniers de guerre au Japon. Elle est envoyée contre son gré chez sa grand-mère sioniste qui ne rit jamais. Durant son séjour, elle aide une voisine qui a perdu deux fils à la guerre et découvre ce qui compte vraiment dans la vie.

Quelque chose qui compte

Lundi 6 décembre 1943

Au meurtre!

Au meurtre, cher Journal! On dirait une histoire tirée d'un de mes romans d'Agatha Christie. Une jeune serveuse de l'hôtel Marlborough a été assassinée. Ses parents l'ont retrouvée morte à 4 h 40 du matin. Elle avait été étranglée!

Maman a bien essayé de cacher le journal, de crainte que je ne sois choquée par la nouvelle. Bien sûr, je suis désolée pour cette pauvre fille. Mais pourquoi est-ce arrivé? Que s'est-il passé exactement? Si seulement j'étais Miss Marple ou Hercule Poirot, je pourrais me présenter sur les lieux du crime et résoudre ce mystère en un clin d'œil.

Après l'école, durant notre première répétition de cantiques de Noël, on ne parlait que de cela. Élisabeth a regroupé tous ceux de notre rue ensemble : Paul, Laura et moi. Je suis très contente, car j'adore les cantiques de Noël. Surtout *Sainte Nuit* et *La Marche des Rois Mages*.

Mais nous avons à peine répété parce que nous nous demandions tous si nous étions en sécurité, avec ce meurtrier qui rôde dans les rues de Winnipeg. Devrions-nous dormir avec un couteau ou, au moins, bien fermer nos portes et fenêtres? Dans le journal, on disait que cette jeune fille était amoureuse d'un homme plus âgé, grand, beau et aux cheveux noirs, récemment arrivé dans la ville. Je vais ouvrir l'œil et tâcher de repérer ce type, garanti!

Jeudi 9 décembre 1943

Dans le journal d'aujourd'hui, on rapporte que le mystérieux inconnu a abordé une autre jeune fille et lui a promis du travail à Vancouver, mais elle l'a envoyé paître. On pense qu'il s'agit du même individu plus âgé qui avait aussi promis du travail à l'autre jeune fille, celle qui s'est fait étrangler! Celle d'aujourd'hui a dit qu'elle avait peur d'être la prochaine sur la liste du meurtrier!!! Il n'a pas l'air du genre à s'introduire chez les gens. Non, ce meurtrier planifie son crime et repère probablement une jolie fille pour ensuite la séduire.

Plus tard

Une lettre d'Adam!

Et adressée à moi seulement.

Ma très chère Debbie,

Je ne peux pas te raconter grand-chose, petite sœur, à cause de la censure qui va tout biffer, mais tu lis les

journaux et tu sais déjà que la campagne d'Italie se déroule très bien pour nos troupes. La situation s'améliore, c'est certain! Sauf pour le train-train quotidien, qui ne fait qu'empirer. Je rêve d'œufs brouillés, de sandwich au bœuf fumé et de cornichons! Pas de ceux en conserve qu'on nous sert ici, mais ceux de tante Adèle, bien croquants et fleurant bon l'ail. Les colis de maman sont magnifiques : nous avons toujours hâte de les recevoir et aussi d'y découvrir les petites choses que tu ajoutes pour nous. Oh! Comme j'ai aimé les barres chocolatées que tu nous as envoyées!

Ne lâche pas ton excellent travail avec les TO. Je trouve que ton groupe s'est choisi un nom magnifique : je me rappelle quand tu avais huit ans et que je t'expliquais que « Tikkun Olam » signifie « sauver ou soigner le monde ». Et tu m'as demandé s'il existait un diachylon assez gros pour ça. Non, mais le monde a besoin d'aide, c'est sûr et certain! Je suis content de savoir que ton groupe travaille à informer les enfants et les adultes à propos des réfugiés et du fait que le Canada refuse de laisser entrer un seul Juif. Peut-être que, plus les gens seront informés, plus ils se plaindront auprès du gouvernement et feront pression afin de l'amener à changer sa position. Toutefois, Debbie, je me demande s'il n'est pas déjà trop tard. Nous entendons de telles horreurs ici : les Juifs qui se font arrêter seraient systématiquement assassinés!

Quand le gouvernement canadien aura changé son fusil

d'épaule, il sera probablement déjà trop tard pour les Juifs d'Europe. Mais tu ne dois pas abandonner pour autant. Tu dois absolument continuer le travail que tu fais.
Dis à maman et papa que je les aime et n'oublie pas d'étudier bien fort pour tes prochains examens.

Ton grand frère,
Adam

Oh! Comme il me manque! Ça me rappelle sa dernière visite, quand il m'a fait faire mon baptême de l'air. Adam et ses amis aviateurs sont les gars les plus courageux du monde, c'est sûr et certain.

Vendredi 10 décembre 1943

Des chaussures!! Il paraîtrait que la victime du meurtre avait acheté des chaussures et que quelqu'un les aurait RAPPORTÉES plus tard ce jour-là afin de les échanger contre deux autres paires plus petites!! Pour sa prochaine victime? Je parie qu'il voulait les offrir à une jeune fille, afin de l'amadouer. Quel esprit tordu!

Samedi 11 décembre 1943
Jour de sabbat

Une journée infernale! J'ai rejoint mes TO dans un cinéma du centre-ville, et nous avons eu une affreuse discussion pour le choix du film. Marcie voulait voir *La fille et son cowboy* parce que Jean Arthur y apparaît et que nous l'aimons tous. Ruth voulait voir *Fidèle Lassie*, mais David a dit que c'était un peu bébé pour nous. Je voulais voir *Créature du diable* : l'affiche ne donnait aucune scène à voir parce que les gens auraient eu trop peur!! Finalement nous sommes tombés d'accord pour *Lassie*, et je dois avouer que c'était pas mal bien et que nous avons même pleuré, même si Roddy McDowall forçait son rôle. La chienne Lassie est vraiment étonnante. Je suis prête à parier qu'elle est plus intelligente que la moitié des élèves de ma classe!

Ensuite nous sommes allés acheter des cadeaux de Noël pour nos amis qui célèbrent cette fête. Il me fallait quelque chose pour Élisabeth. Je lui ai acheté de l'eau de Cologne à la violette pour 50 ¢. Je sais qu'elle adore tout ce qui sent la violette. Ruth a trouvé un cadeau d'anniversaire pour son petit frère : une arche de Noé en carton pour 98 ¢. Je crois qu'il va la détruire en un rien de temps, mais elle la trouvait si jolie!

Puis nous sommes allés au *Chocolate Shop* et nous avons discuté de ce que nous devrions faire au cours des prochaines semaines. Nous sommes tombés d'accord pour que chacun de nous, au spectacle de Noël de son école, essaie de faire un petit discours à propos des réfugiés. Je vais donc demander à mon école si je peux prendre la parole pendant quelques minutes.

Maintenant, je vais lire mon nouveau livre : *Les enquêtes d'Hercule Poirot.*

Mardi 14 décembre 1943

Ils l'ont attrapé!!

Le meurtrier.

Il a 42 ans et loge à la pension de la rue Spence où habitait la pauvre victime. Elle n'avait que 16 ans! Et c'est lui qui avait averti la police et qui avait « découvert » son corps! Il n'est pas grand, ni noir de cheveux, mais plutôt petit et grisonnant. La réalité est bien moins excitante que le portrait qu'on avait donné de lui dans le journal.

Jeudi 16 décembre 1943

Churchill est très malade; il a une pneumonie!

Vendredi 17 décembre 1943

Churchill va mieux. Quel soulagement! Sans lui à la tête des Alliés, Hitler pourrait encore trouver le moyen de gagner. On ne sait jamais!

Plus tard

Aujourd'hui c'était le dernier jour d'école et le jour du spectacle de Noël. Je ne t'ai pas écrit tous les jours de cette semaine, cher Journal, parce que soit je préparais mon discours, soit j'étudiais soit je passais mes examens.

On ne m'a donné que deux minutes pour parler! Deux minutes pour expliquer aux gens ce qui arrive aux Juifs là-bas et que le Canada fait comme s'il ne se passait rien et refuse d'offrir son aide.

Papa m'a donné un coup de main pour mon discours. Il voulait me faire enlever certains éléments, mais je ne voulais pas. Voici mon texte. Je l'ai recopié ici pour la postérité.

Tout d'abord, je tiens à remercier monsieur le Directeur Lester pour m'avoir permis de m'adresser à vous.

Chers professeurs, chers parents et chers élèves,

Je souhaite vous parler aujourd'hui d'une question que vous connaissez sans doute déjà, mais peut-être pas sous tous ses aspects. Nous sommes très fiers de notre pays qui se bat contre les nazis. J'ai moi-même deux frères qui sont partis loin; l'un est dans l'aviation canadienne, et l'autre est dans les Winnipeg Grenadiers et maintenant dans un camp de prisonniers de guerre au Japon. J'ai aussi de la famille en France et, depuis 1941, nous avons essayé de les faire venir ici, mais sans succès! (À ces mots, j'ai failli me mettre à pleurer et j'ai dû m'arrêter un instant pour me reprendre.)

Le gouvernement canadien ne veut pas laisser entrer de réfugiés juifs. Les responsables gouvernementaux n'aiment pas les Juifs. (À ce moment-là, certains ont manifesté leur surprise et d'autres leur désapprobation, mais d'après moi, la plupart étaient outrés parce que *j*'avais dévoilé cette vérité, et non pas parce que le *gouvernement* agissait ainsi.) Mais je sais que la plupart des Canadiens voient les choses autrement. (Enfin, je l'espère.) Aussi je vous demande aujourd'hui d'écrire au responsable M. Blair pour lui demander, ou plutôt *exiger* de lui, qu'il ouvre les portes du Canada aux réfugiés qui ont encore la possibilité de s'échapper. Dans les faits, il n'en reste plus beaucoup, mais si certains peuvent réussir à se rendre en Espagne ou ailleurs, alors laissons-les venir ici. Il y a un an en France, des milliers d'enfants avaient des visas d'entrée pour le Canada, mais on leur a fermé la porte et, maintenant, ils sont probablement tous morts. Nous devons tenter de sauver tous ceux que nous pouvons, ne serait-ce qu'un seul enfant!

Je vous remercie d'avoir pris le temps de m'écouter. (Ça, c'est un ajout de papa.)

Il y a bien eu quelques applaudissements, mais je ne peux pas dire que c'était un franc succès. Néanmoins, je suis contente de l'avoir fait, même si ça me faisait drôle de me présenter comme Juive. J'avais l'impression que tout le monde me regardera autrement... Mais je n'y peux rien. Et quelle importance, comparé à ce qu'endurent les Juifs en Europe, n'est-ce pas?

Samedi 18 décembre 1943

Baba Tema a fait une chute et s'est cassé le pied et foulé un poignet! Maman a proposé que je reste auprès d'elle pendant les vacances, afin de l'aider. Donc pas de cantiques de Noël avec mes amis. On va me reconduire dans le quartier nord où je vais passer deux semaines avec une femme qui ne m'a jamais dit un seul mot gentil de toute ma vie. Et qui me fait peur! J'ai pleuré, j'ai hurlé, j'ai essayé d'argumenter, mais rien n'y a fait. Maman est restée inébranlable. Elle est prise par un surcroît de travail à cause de Noël et de tout ce qu'il faut envoyer de spécial à nos soldats, et elle dit que c'est beaucoup plus important que mes vacances. (Et elle ne comprend pas pourquoi c'est si important pour moi de chanter les cantiques de Noël, surtout que nous sommes Juifs! J'ai essayé de lui expliquer que j'adore ces chansons et que c'est amusant, mais elle pense que tout cela n'a aucune importance, alors que Baba a besoin de moi.)

Dimanche 19 décembre 1943

Aujourd'hui j'ai passé ma première journée avec Baba Tema. Quelle catastrophe! Des vacances qui s'annonçaient si bien! Je ne peux même pas voir Marcie parce que Baba ne veut pas que mes amies viennent chez elle, supposément parce qu'elles sont trop bruyantes. DE PLUS, sa voisine d'à côté a aussi besoin d'aide, et Baba m'envoie toujours lui donner un coup de main, comme si elle ne pouvait pas me laisser une seule minute tranquille à souffler un peu! Les choses ne s'arrangent pas. Au moins, toute la famille est venue souper ici ce soir, alors je ne resterai pas seule avec Baba avant demain.

Lundi 20 décembre 1943

Les nouvelles de la guerre sont excellentes. L'armée du général Montgomery a fait reculer l'ennemi en Italie, et l'armée américaine aussi. La victoire est à nous, à nous, à nous! Oh! Demain, c'est le premier soir de Hanoukka, alors la famille va revenir ici, Dieu merci!

Baba m'a fait manger du gruau au déjeuner, en disant que je devais me compter chanceuse d'en avoir. Ça va encore quand c'est noyé dans le sucre et le lait, mais sans rien et cuit à l'eau, c'est dégoûtant. En plus, il a fallu que je le prépare moi-même, pour nous deux!

Le soir

Après le déjeuner, Baba m'a interrogée sur ce que savais de la Palestine. Apparemment ce n'est pas suffisant, car elle m'a fait asseoir à la table de la cuisine pendant toute une heure en me surveillant d'un œil mauvais tandis que je lisais un livre sur la Palestine et le sionisme. Je lui ai dit que je comprenais que nous avions besoin d'un pays à nous, les Juifs, mais ce n'était pas suffisant pour elle. Elle m'a donc fait lire à voix haute un article du journal portant sur Hadassah et son œuvre. Puis elle m'a fait pelleter son entrée et celle de sa voisine, et préparer le repas avec du hareng! Du hareng : beurk, beurk et rebeurk! Ensuite elle m'a fait tout ranger, puis étudier encore et écrire des lettres pour elle, adressées à tout plein de politiciens et même à des gens en Grande-Bretagne. On dirait qu'elle est quelqu'un de très important. Je me demande si on est obligé d'être dur comme elle, pour être quelqu'un d'important.

Mardi 21 décembre 1943

Je ne sais plus par quel bout commencer!

Baba m'a interdit de lire *La maison du péril*, mon nouveau roman d'Agatha Christie! Elle dit que mon obsession pour les crimes inventés et les mutilations est malsaine. Malsaine! J'ai sans doute mentionné à quelques reprises le meurtre de la serveuse, histoire d'entretenir la conversation, parce que rester en silence avec Baba est très désagréable et mortellement ennuyeux. Elle n'aime pas « papoter », comme elle dit. Elle prétend que, si je lis, ce devrait être un texte valable, comme un traité d'histoire. Elle m'a donc donné un livre sur l'histoire de l'Angleterre, avec toute une section portant sur le protectorat britannique en Palestine. Belle lecture à faire le soir, blottie sous mes couvertures!

Le soir

Adam a participé à un énorme raid qui a touché sept avions nazis en France! C'était dans le journal d'aujourd'hui! Dire que je ne suis même pas à l'école pour m'en vanter devant mes amis. Hier les Alliés ont aussi lâché 2 000 tonnes d'explosifs sur Francfort.

Je me suis beaucoup lamentée, quand maman et papa étaient là hier soir, pour la fête de Hanoukka. Mais maman travaille tous les soirs jusqu'à minuit, à préparer des paquets pour les soldats, et papa s'occupe de tout un groupe d'aviateurs récemment rentrés de la base de Gimli et est totalement débordé, alors je dois me débrouiller toute seule, on dirait. L'atmosphère était mortelle, avec moi comme seule enfant à recevoir des présents.

Nous avons allumé la première chandelle de la ménorah, et papa a raconté l'histoire de la Fête des Lumières, comme chaque année : les Macchabées ont vaincu Antiochus, et il restait juste assez d'huile pour entretenir la flamme éternelle du Temple durant un jour; pourtant elle a brûlé pendant huit jours, ce qui était un véritable miracle. Il a ajouté que nous allions vaincre Hitler de la même façon. Baba a dit : « bof » ou « pshaw » ou quelque chose du genre, en ajoutant qu'en réalité, Hanoukka avait été une guerre civile entre les Juifs traditionalistes et ceux qui s'étaient assimilés à la culture syrienne et priaient Zeus. Je n'écoutais que d'une oreille, car Baba et papa tiennent le même discours chaque année.

J'ai reçu un peu de chocolat et aussi des sous en chocolat de Hanoukka, et c'est tout. Papa a failli s'endormir après le souper.

Mercredi 22 décembre 1943

J'ai passé l'avant-midi à lire le traité d'histoire à voix haute pour Baba parce qu'elle n'est pas convaincue que je le lis toute seule. Quand j'ai eu terminé le chapitre sur les révoltes des Arabes de 1921, elle a dit : « Est-ce que ça te suffit, côté meurtres et mutilations? » Avant même que j'aie pu ouvrir la bouche pour répondre, elle m'a dit d'aller préparer notre dîner. Puis dès que j'ai eu tout nettoyé, elle m'a envoyée passer tout l'après-midi chez sa voisine. Mme Norman est une dame âgée. Pas aussi âgée que Baba, mais beaucoup plus que maman. Elle avait besoin d'aide pour faire des albums souvenirs. Elle a les mains déformées par l'arthrite et est incapable de manier les ciseaux ou la colle. Sa table de salle à manger était couverte de coupures de journaux portant sur la guerre, certains régiments et certaines batailles. Elle m'a dit qu'elle voulait que le tout soit trié en trois piles. Il fallait une pile pour chacun de ses trois fils. Puis elle m'a dit : « Évidemment, deux d'entre eux sont morts : un en mer et l'autre, durant la Bataille d'Angleterre. Le troisième est au Japon avec les Winnipeg Grenadiers, et on ne sait pas ce qu'il devient ».

Je lui ai dit que mon frère Morris était là-bas et que nous avions appris qu'il était en vie. Elle aussi, pour son Matthew, mais elle a dit qu'elle n'avait pas du tout confiance en ces Japonais. Ils ne le garderaient probablement pas en vie jusqu'à la fin de la guerre.

Je me suis sentie désolée pour elle : deux fils morts et

l'incertitude à propos du troisième! Puis elle m'a raconté que son mari, qui était de santé fragile, était mort d'une crise cardiaque en apprenant la mort de son deuxième fils.

Je n'arrive pas à comprendre comment Mme Norman peut être encore en vie. Je pense que je serais morte de chagrin, comme son mari. Elle a dû le lire sur mon visage, car elle a dit : « Mes garçons sont encore vivants ici, a-t-elle dit en posant sa main sur son cœur. Et mon cher Paul aussi. Si je meurs, alors ils seront vraiment morts, car plus personne ne pensera à eux. C'est pourquoi j'essaie de faire ces albums souvenirs, mais mes mains ne veulent pas m'obéir ».

Je lui ai donc dit que je serais heureuse de l'aider et me suis aussitôt mise au travail, en partie parce que je ne savais pas trop quoi lui dire. La plupart des articles étaient déjà marqués à l'encre. Il restait à les découper, puis à les mettre en ordre chronologique. Elle avait aussi quantité de photos de famille et voulait qu'elles soient intercalées avec les textes tirés de la *Free Press* et parfois du *Globe and Mail* ou même de journaux de Londres, en Angleterre, qu'elle avait réussi à se procurer.

Chaque fois que je prenais un article dans mes mains, elle se mettait à parler de la bataille ou de l'opération dont il y était question et de ce que ses fils lui en avaient dit, par opposition à ce que les journaux en avaient rapporté. Évidemment, ses fils ne pouvaient pas écrire beaucoup à cause de la censure, mais quand ils étaient venus en permission, elle avait entendu pas mal de leurs histoires. J'ai proposé que nous les mettions par écrit pour les intégrer dans les albums souvenirs. Elle m'a donc raconté la version de son fils, et je l'ai transcrite sur une belle feuille de papier filigrané et je l'ai collée dans l'album. Puis c'était déjà l'heure du souper, et nous n'avions fait que le quart du premier album.

Je lui ai dit au revoir et suis vite retournée chez Baba pour lui préparer à souper. Elle m'a demandé comment mon après-midi s'était passé. Je lui ai dit que j'avais beaucoup de peine pour Mme Norman. Elle a simplement hoché la tête, sans rien dire, et je ne savais pas du tout ce qu'elle pensait.

Jeudi 23 décembre 1943

J'ai passé l'avant-midi à faire le ménage chez Baba, puis à écrire encore d'autres lettres pour elle. Elles sont bizarres, ces lettres, et je n'y comprends à peu près rien, mais quand je pose des questions à Baba, elle me répond toujours de continuer à écrire ce qu'elle me dicte. On dirait qu'elle écrit avec un code secret. Ça peut paraître cinglé, mais j'en suis venue à me demander si Baba ne serait pas une espionne. Elle n'arrête pas d'écrire des lettres où elle parle d'acheter des marteaux, des boulons et des écrous et de les faire parvenir ici ou là, et par quels moyens. Qu'est-ce que Baba peut bien traficoter avec des marteaux, des boulons et des écrous? Elle m'a expliqué que nous devons nous employer à faire de la Palestine une patrie pour tous les Juifs qui réussiront à survivre, en ajoutant que cela ne se fera pas sans batailles. Eh bien, cher Journal, voici ce que je pense : le mot marteau ne serait-il pas un nom de code pour FUSIL? Maintenant, j'ai *vraiment* peur de Baba!

J'ai encore passé l'après-midi avec Mme Norman. Nous avons réussi à terminer tout un album souvenir. Baba m'avait dit de l'inviter à souper chez nous. Nous sommes donc parties ensemble chez Baba et nous lui avons montré l'album. Pendant un bref instant, Baba a eu l'air d'être sur le point d'esquisser un sourire. C'est-à-dire que j'ai simplement vu un coin de ses lèvres se retrousser légèrement.

J'ai fait cuire des pâtes, puis j'ai haché des oignons et les ai fait frire. J'ai mélangé le tout avec un peu de fromage, et Mme Norman a dit que c'était très bon. Baba s'est contentée de grommeler je ne sais quoi.

Vendredi 24 décembre 1943

Quand je me suis réveillée ce matin, Baba a dit que ce soir, si je le voulais, je pouvais retourner dans le quartier Sud et faire ma tournée de cantiques de Noël avec mes amis. Papa dit que je lui manque; il va venir me prendre vers quinze heures. Je me suis mise à sautiller et à crier, tant j'étais contente. Puis, quand je me suis calmée un peu, elle a dit : « Évidemment, Mme Norman va être déçue, elle qui a encore besoin de toi pour son projet ».

Et elle m'a fixée du regard, sans ajouter un mot de plus.

Bon, je n'allais quand même pas la laisser gâcher mon plaisir pour un simple regard. Je n'avais pas vu mes amis depuis des jours, j'avais travaillé fort et je méritais de m'en aller!

Je lui ai préparé son dîner, puis j'ai écrit encore d'autres lettres pour elle et j'ai attendu l'arrivée de papa avec impatience. J'étais si heureuse de le voir!

« C'est la veille de Noël, a-t-il dit. Et on dirait que la nuit va être très belle, avec du temps doux et une petite neige. Parfait pour faire la tournée de cantiques! » Puis il s'est tourné vers Baba. « Tu as dû être heureuse d'avoir Déborah auprès de toi », lui a-t-il dit.

Elle m'a regardée droit dans les yeux et a dit : « Le bonheur est une chose qui peut varier énormément d'une personne à l'autre. Et il peut prendre toutes sortes de formes ».

Papa a ri. Il ne prend jamais Baba trop au sérieux. « Oh Mama! a-t-il dit. Tout n'a pas besoin d'être toujours tourné en leçon de morale. »

Elle a soulevé les sourcils, comme si elle n'était pas trop d'accord avec lui.

J'ai enfilé mon manteau, et nous nous sommes dirigés vers notre automobile. Tandis que papa conduisait, je lui ai demandé ce que Baba avait voulu dire. Il a réfléchi quelques secondes, puis m'a dit : « Je suppose qu'elle voulait dire que le bonheur et s'amuser, ce n'est pas nécessairement la même chose. Ce soir tu veux t'amuser.

Elle n'accorde pas beaucoup d'importance au plaisir de s'amuser. Mais moi, je pense que tu as le *droit* de t'amuser. »

« Elle ne voulait même pas me laisser lire mes romans policiers, lui ai-je dit. Elle est vraiment contre tous les plaisirs! »

Mais quelque chose me chicotait encore l'esprit.

Je n'arrêtais pas de penser à Mme Norman, toute seule dans sa maison en cette veille de Noël, sans son mari, sans ses deux fils morts et sans le troisième qui est prisonnier. Puis ça me fâchait, et j'essayais d'arrêter d'y penser. Finalement, papa a dit : « Tu marmonnes en secouant la tête ». Et là, j'ai soupiré et lui ai demandé de me ramener chez Baba. Il a ri, pensant que je blaguais, mais pas du tout! Il a donc rebroussé chemin avec la voiture et, tandis que nous retournions là-bas, je lui ai parlé de Mme Norman et de ses albums. Quand nous sommes arrivés, il m'a serrée très fort dans ses bras, et je pouvais voir qu'il avait les larmes aux yeux! Je lui ai demandé ce qui n'allait pas, et il a dit : « Rien ». Mais avant que je descende de la voiture, il a ajouté qu'il trouvait que je grandissais vite.

Quand je suis entrée chez Baba, elle essayait de mettre de l'eau à bouillir sur le poêle, mais n'y arrivait pas. Je l'ai donc aidée, et elle m'a dit que nous devrions encore inviter Mme Norman à souper. Elle n'avait pas l'air particulièrement contente de me revoir, mais ce n'était rien de nouveau. Quand je suis allée chez Mme Norman pour l'inviter, elle était si heureuse qu'elle m'a serrée dans ses bras! Nous avons travaillé aux albums jusqu'à l'heure du souper, puis nous sommes parties chez Baba, qui avait mis à cuire au four une pièce de poitrine de bœuf. J'ai fait cuire des pommes de terre, et elle a préparé des navets pour mélanger avec, et nous avons eu un souper absolument délicieux. En plus, avec du VIN! Le mien était coupé d'eau, mais quand même! D'ailleurs, je sens la tête qui tourne un peu, en écrivant ces lignes.

Lundi 27 décembre 1943

Bon, ces vacances vont finir par être les plus bizarres de toute ma vie, c'est sûr et certain! J'ai passé toute la journée de Noël avec Mme Norman, et aussi les deux derniers après-midi, et nous avons terminé les albums! Elle était si heureuse!

Quand je suis retournée chez Baba pour préparer le souper, elle m'a dit que je pouvais ravoir mon livre d'Agatha Christie. Je lui ai demandé pourquoi. Elle a dit : parce que je les aime et qu'il n'y a rien de mal à cela, mais que je ne dois jamais oublier qu'il y a des vraies personnes qui se font tuer tous les jours par les nazis, surtout des Juifs, et que nous devons tous nous préoccuper du monde réel. Puis elle a dit : « Ces garçons, à côté, ont été tués. À la guerre, c'est vrai. Par ces bandits de nazis ou par des gens qui obéissaient à ces bandits de nazis. »

Ce soir, tandis que je me prépare à retourner chez

nous, je me rends compte que, même si ces vacances n'ont pas été une partie de plaisir, elles sont peut-être les plus belles de ma vie. C'est difficile à expliquer, sauf que je me sens comme réchauffée de l'intérieur. J'ai fait quelque chose qui comptait et cela m'a rendue heureuse. Même si Baba n'a jamais l'air de s'amuser, elle est profondément convaincue que ce qu'elle fait est important, et cela la rend sans doute heureuse.

Je me demande si elle est vraiment une espionne.

Geneviève Aubuchon

Mon pays à feu et à sang

Geneviève Aubuchon,
au temps de la bataille des
plaines d'Abraham

Québec, Nouvelle-France
8 avril 1759 – 1er janvier 1760

MAXINE TROTTIER

Geneviève a craint très fort pour la vie de son frère et de son ami qui, pour le salut de la Nouvelle-France, ont combattu les Britanniques qui assiégeaient leur ville de Québec. Mais tous leurs espoirs ont été anéantis au lendemain de l'âpre combat qui s'est déroulé sur les plaines d'Abraham. Québec est dès lors aux mains des Anglais et tout, absolument tout, est changé. Et voilà qu'un nouveau coup du destin vient les mettre au défi.

Trois cadeaux en or

Le 1er décembre 1760
Tard

Montréal. J'ai du mal à croire que nous sommes arrivés. Je craignais de ne pouvoir dormir dans la maison de M. Bélanger, car c'est la maison d'un mort, mais la fatigue des deux derniers jours de voyage a eu raison de ma peur.

Demain, le service funèbre de l'oncle de Mme Claire sera célébré en la Basilique Notre-Dame.

Le 2 décembre 1760
Tard

C'est terminé. M. Bélanger a été mis en terre. Je devrais maintenant relater l'événement en détail. Andrew pense qu'un journal intime doit restituer le fil exact des événements, point à la ligne. Cela lui vient de sa qualité d'officier, je suppose. Mais je ne suis pas officier. En fait, je passe souvent du coq à l'âne quand j'écris mon journal. Étant un bon ami, Andrew saura le comprendre. Mère Esther dit que cela me vient de mon sang abénaquis et qu'il est dans ma nature d'emprunter les petits chemins de traverse, mais que c'est sans conséquence puisque l'important est d'arriver au but.

Voilà. Il y a trois jours, Mme Claire a reçu de mauvaises nouvelles dans une lettre que lui adressait un notaire de Montréal, un certain M. Verges. Son vieil oncle, Balthazar Bélanger, était mort subitement, apparemment d'une crise d'apoplexie. Les funérailles auraient lieu le mardi suivant, si Mme Claire désirait y assister. Le souhaitant effectivement, elle s'est tout de suite mise aux préparatifs du voyage. Comme je n'avais jamais rencontré le défunt, je ne ressentais aucune tristesse, dois-je avouer. Je me sentais même un peu excitée, car je n'avais jamais vu Montréal.

À ce moment-là, je n'avais pas le temps d'écrire tout ceci. En apprenant la nouvelle, le gouverneur Murray a fait préparer une voiture. Quoique Britannique, il est très attentionné. Quand Mme Claire a refusé cette escorte militaire, il a insisté pour que Chegual nous accompagne, ce qui m'a fait bien plaisir, car je ne me lasse jamais de la compagnie de mon frère. La cuisinière a dit qu'elle veillerait sur Wigwedi et La Bave, mais qu'ils avaient intérêt à ne pas faire de bêtises. Wigwedi, malgré sa patte manquante, peut sauter remarquablement haut, même pour un lapin, et il lui arrive de voler des légumes sur la table de la cuisinière. Le seul méfait de La Bave est de baver, mais les traînées de bave de chien qu'il laisse sur les planchers fraîchement lavés n'enchantent pas la cuisinière.

Le voyage a été des plus agréables. J'aurais quand même aimé qu'il y ait plus de neige, ainsi les décombres des fermes incendiées par les Britanniques l'an dernier auraient été ensevelis. Il est déjà assez éprouvant de vivre dans Québec en ruines. En arrivant à Montréal, j'ai été frappée par le peu de dommages faits à la ville. Je sais que Montréal a rapidement capitulé en *septembre* dernier et je me demande ce qui serait arrivé de Québec, si nous en avions fait autant. Peu importe. Ce qui est fait est fait.

Trêve de digressions. Le service funèbre était empreint de dignité, la messe étant dite par le vicaire général, le curé Montgolfier. M. Bélanger n'avait pas d'autre famille que Mme Claire, mais avait de nombreux amis et admirateurs, étant un homme riche et important. C'est pourquoi le service funèbre a été célébré en la Basilique, je suppose, un édifice d'une grande beauté. Par la suite, Mme Claire a dit que plusieurs des personnes présentes lui ont fait penser à des vautours, prêts à réclamer une part de l'héritage. Ils allaient être fort déçus, car M. Verges assure que l'oncle de Mme Claire a légué toute sa fortune à l'Église.

Le 3 décembre 1760

Un pli est arrivé, de la part de M. Verges. Il y explique que le vicaire général nous permet de demeurer ici aussi longtemps que nous le souhaiterons. Néanmoins, et malgré la gentillesse des domestiques, Mme Claire a décidé que nous repartirions demain. Aucun de nous n'est à l'aise dans cette maison. Le temps y est comme suspendu, et cela me rappelle l'été dernier, quand tout Québec attendait l'arrivée de la flotte britannique.

Toutefois, il ne s'agit pas de la guerre, mais de la liquidation des biens de M. Bélanger au profit de l'Église, ce qui m'apparaît comme une chose bien compliquée.

Il est aussi dit dans la lettre que M. Verges nous rendra visite ce soir, car Mme Claire se voit léguer un modeste bien par son oncle. S'agit-il d'un bijou ou d'une petite somme d'argent, nul ne le sait.

Très tard

M. Verges ne s'est pas empêtré dans les formalités, ce soir. Ses clercs avaient finalement localisé ledit bien, qui se trouvait juste en face de la maison. Nous devions le récupérer rapidement, a-t-il dit, car « ledit bien » avait tendance à faire des fugues, ainsi que cela s'était produit juste après la mort de M. Bélanger. M. Verges soupçonnant que ladite créature aimait mordre, nous serions bien avisés d'aller nous acheter une chaîne et un fouet, si nous n'en possédions pas. Il nous a donné ses papiers, puis est reparti en nous souhaitant toute la chance du monde.

« Qu'est-ce que cela peut bien être? » s'est exclamée Mme Claire. Son oncle n'était pas amateur d'animaux sauvages, du moins pas à sa connaissance. Je me rappelle que des visions de loups et d'ours me sont venues à l'esprit quand nous avons quitté le salon et avons ouvert la porte d'entrée. Tout ce que je pouvais voir, c'était M. Verges qui s'éloignait en hâte. C'est alors que nous avons entendu un horrible hurlement venant de la cuisine, et j'ai prié de tout mon cœur la sainte Mère de Dieu pour que la cuisinière ne soit pas en train de se faire dévorer toute crue.

Point du tout! Mais elle se tenait dans un coin de la cuisine où l'avait forcée à reculer un petit gamin crasseux, d'environ dix ans, brandissant d'une main une cuisse de poulet et de l'autre, une broche à rôtir dont il la menaçait à chaque bouchée de viande qu'il prenait.

« Il s'appelle Luc Panis », a dit Mme Claire, lisant le nom de l'enfant dans ses documents.

Je comprenais tout. C'était un esclave *indien*, un *Panis* comme on dit, et l'oncle de Mme Claire le lui avait laissé en héritage. J'ai senti mon cœur se serrer, car je hais l'esclavage, tout comme Mme Claire. Même les contrats d'engagés me semblent inacceptables dans la plupart des cas, car les conditions en sont trop dures. Qu'allions-nous faire d'un *Panis*?

« Vendez-le! a vociféré la cuisinière. La paix régnait dans les rues de cette ville avant l'arrivée de cette créature. Vous avez vu? Ce vaurien a volé de la nourriture et je le sais capable de m'embrocher comme une vulgaire saucisse à la première occasion. Vendez-le, madame, sinon votre vie sera un enfer! Pourquoi M. Bélanger a-t-il acheté ce petit monstre, cela dépasse mon entendement! »

C'est alors que Chegual est entré dans la cuisine, intrigué par les éclats de voix. Il a arraché la broche des mains de l'enfant, qui a tenté de lui échapper, mais Chegual l'a aisément rattrapé et

Chegual est venu dans ma chambre et il en est maintenant reparti. Quel terrible récit de souffrances il m'a fait! Chegual a installé une paillasse à la cuisine pour l'enfant, et il est couché à son côté en ce moment. Plus tard, je terminerai plus tard.

Le garçon s'appelle *Pìtku*. Il ne parle pas. Chegual pense que c'est à cause des souffrances et des malheurs qu'il a endurés, mais il sait communiquer en signes avec les mains, dans la langue des voyageurs que mon frère a apprise dans l'Ouest.

Le 8 décembre 1760
Le soir

Enfin à la maison, avec le plaisir de retrouver Wigwedi, La Bave et la cuisinière! Andrew, avons-nous appris, n'était pas dans notre bibliothèque. Le gouverneur l'avait demandé pour quelque affaire militaire, et rentrerait plus tard. Le courage me manque d'écrire ce qui s'est passé durant notre voyage de retour.

Tard

L'ami de Mme Claire, le lieutenant Stewart, s'est présenté à notre porte quelques heures après le retour d'Andrew, apportant un fromage en guise de présent. Un fromage de Gloucester, avons-nous appris, fabriqué en Angleterre. Tout en le dégustant, accompagné de petits verres de Porto pour les messieurs, Mme Claire leur a raconté les événements de la dernière semaine.

J'étais triste de réentendre l'histoire de Pìtku. Il est le deuxième né de garçons jumeaux, et son nom de Panis signifie « deux ». Ces jumeaux avaient intéressé les voleurs d'esclaves qui avaient massacré tous les adultes de leur village et emmené les enfants. Le frère de Pìtku était mort en cours de route, ainsi que plusieurs autres. J'étais convaincue que toutes ces horreurs expliquaient le mutisme de cet enfant.

« Qu'il ait survécu est un miracle », a dit le lieutenant Stewart, et j'étais tout à fait d'accord. Puis il a demandé à voir l'enfant.

« Impossible, lui a répondu mon frère. Il s'est enfui quand nous nous sommes arrêtés pour la nuit à Trois-Rivières. »

J'étais si peinée pour Chegual. Pìtku s'était bien comporté tout au long du Chemin du Roi que nous avons emprunté, passant par Repentigny, Saint-Sulpice et Berthier. Mais à Saint-Charles, il est sorti de sa réserve et quand il m'a donné un coup de pied (je suis sûre qu'il ne l'a pas fait intentionnellement) mon frère l'a sévèrement réprimandé.

Je revois la tête de Chegual le lendemain matin, quand il a vu que Pìtku était parti. Il l'a cherché pendant deux jours, offrant une récompense que Mme Claire était prête à verser, mais en vain. Finalement, nous avons quitté l'auberge, laissant Pìtku derrière nous. Pendant tout le reste du trajet, Mme Claire n'arrêtait pas de dire qu'elle était inquiète pour ce pauvre garçon dont nous aurions dû prendre soin jusqu'à ce qu'il soit assez grand pour être affranchi. Ce n'aurait pas été de l'esclavage, mais simplement une façon de le garder dans un endroit où il aurait été en sécurité.

Par la suite, Andrew a dit que tout cela était peut-être pour le mieux et que Pìtku trouverait probablement le moyen de se débrouiller. Je prie pour que ce soit vrai, mais j'en suis quand même peinée.

Plus tard

J'ai repensé à la guerre. Les Britanniques, malgré tous leurs régiments qui défilent au son des tambours, n'ont pas été durs avec nous. Nos lois civiles françaises sont demeurées en vigueur, de même que notre Église catholique romaine. Ils ont aussi permis aux gens de garder leurs esclaves, noirs ou panis.

Nous avons tant perdu durant cette guerre. Alors pourquoi pas l'esclavage?

Le 9 décembre 1760

Par moments, j'ai l'impression d'être devenue comme un soldat. Il est vrai que notre maisonnée suit les horaires de la garnison britannique installée ici à Québec. C'est d'ailleurs pour cette raison que je suis déjà levée et en train d'écrire ce journal. Au son du *Réveil* qui retentit dans toute la ville, je ne manque jamais de me réveiller. Parfois, comme aujourd'hui, je me réveille avant même que retentissent les tambours et les cornemuses, et je reste couchée à les attendre. Je ne peux pas faire autrement! Même aujourd'hui, après tous ces mois passés après la chute de Québec, je garde un petit espoir de ne pas les entendre, comme si tout cela n'était qu'un mauvais rêve.

Je n'arrête pas de penser à la grande basilique qui s'élève encore dans le ciel de Montréal, puis à notre église Notre-Dame-des-Victoires, détruite par les Britanniques pendant le siège de l'année dernière. Quelle sombre période, ce siège! Mais je dois m'arrêter et ne pas laisser libre cours à mon désarroi. Les Britanniques et les Écossais sont ici pour y rester.

Revenons plutôt à ma journée. Ce matin, j'ai fait les courses pour la cuisinière parce qu'elle refuse de les faire elle-même. Son anglais est si limité qu'elle en est gênée. Je ne peux pas la blâmer. J'ai donc la responsabilité de faire les courses pour notre maisonnée. Rien de bien difficile, mais le travail m'empêche de penser à Pìtku.

Mister (il tient à ce titre) Mister Wharton est gentil. J'ai donc décidé de fréquenter son magasin. Mme Claire aussi. Toutefois, aucun d'entre nous ne peut vraiment s'habituer aux seules marchandises britanniques et américaines offertes car rien ne nous parvient plus de la France. Mieux vaut ne pas s'en plaindre, même dans ce journal, car au moins nous pouvons acheter à manger. Je préfère oublier nos malheurs de l'hiver dernier.

Au marché, la rumeur courait que les Écossais auraient fait prisonnier quelqu'un qui avait tenté de voler du pain dans leur boulangerie. Ils disent que le vol est passible de la peine de mort. Certes, la nourriture est un bien de valeur, mais une miche de pain ne peut pas valoir aussi cher qu'une vie humaine, même aux yeux des Écossais.

La nuit

Ce que j'ai dit plus haut, que les Britanniques et les Écossais étaient ici pour y rester, est une dure réalité, mais pas totalement désagréable, à cause d'Andrew qui nous est devenu si cher. Et à moi plus particulièrement, puis-je avouer dans le secret des pages de ce journal.

Le 10 décembre 1760

Quelle journée! Elle a commencé comme d'habitude, quand le *Réveil* a retenti. Mais j'étais encore au lit, et le son des cornemuses se faisait de plus en plus près. Tandis que je m'habillais à toute vitesse, elles étaient rendues dessous ma fenêtre et, en jetant un coup d'œil, j'ai aperçu Chegual, Andrew et le lieutenant Stewart qui jouaient de ces instruments. Une douzaine d'autres soldats formant un groupe compact attendaient derrière eux.

« Une miche de votre meilleur pain de ménage! » a réclamé Andrew, quand Mme Claire, la cuisinière et moi-même nous sommes présentées devant eux. Quand j'ai demandé pourquoi, il a répondu : « En échange de ceci ».

Et là, les soldats se sont écartés afin de laisser voir ce qu'ils cachaient derrière leurs kilts. C'était Pìtku. Pìtku qui nous avait suivis à la trace jusqu'à Québec, puis cherchés en vain par toute la ville et qui, mourant de faim, avait tenté de voler du pain dans les magasins des Écossais!

Je me suis alors rappelé ce qu'Andrew m'avait dit à propos de la faim dont il avait souffert après la bataille de Culloden, en Écosse. Sa mère était morte de faim. Je savais au fond de moi qu'Andrew ne ferait jamais de mal à un enfant souffrant de la faim et soudain je me suis sentie fondre de tendresse pour lui. Puis j'ai vu ses genoux pleins de boue et ses bas.

« Cette petite bête sauvage devrait être surnommée La Mule, a-t-il grommelé. Il faudrait lui enseigner les bonnes manières, mademoiselle. »

Par la suite, Chegual a appris que Pìtku avait finalement décidé de nous suivre justement parce qu'il l'avait grondé à Trois-Rivières. L'enfant ne l'a pas dit en mots, mais en signant avec ses mains : de se faire ainsi gronder lui avait ramené à la mémoire un souvenir presque oublié. Son père les grondait de cette manière, son frère et lui. Pas très agréable comme souvenir, sauf qu'il aimait son père énormément.

Sans que ce soit dit clairement, j'ai alors compris que Pìtku doit à Chegual de l'avoir aidé à raviver un souvenir aussi précieux. Pauvre petit, qui en est réduit à trouver du réconfort dans un incident qui a été désagréable pour lui!

Le 11 décembre 1760

Il faut absolument que Pìtku prenne un bain, puis que Chegual l'épouille, lui qui

Je ne peux pas dire que les hurlements me dérangent beaucoup, ou

Apparemment, Pìtku a un profond dégoût pour le savon et l'eau chaude. Néanmoins, l'opération est réussie, et même si Chegual et toute la cuisine se sont retrouvés complètement trempés, Pìtku a fini par enfiler des vêtements propres. Une fois toutes ses couches de crasse parties, j'ai pu constater que c'est un bel enfant. La cuisinière lui lance des regards dubitatifs, mais elle a bon cœur, et j'ai pu voir quelques lueurs de pitié dans ses yeux. Chegual lui a sans doute raconté l'histoire de Pìtku. Elle lui a donné un couteau (à la lame plutôt émoussée) avec lequel il a pelé des patates!

Le 12 décembre 1760

Il faudrait peut-être ajouter « Ne pas tourmenter les animaux » aux règles que Chegual a données à Pìtku hier, même si je crois que l'enfant ne pensait qu'à jouer. Mais quand il a voulu jouer avec Wigwedi, celui-ci n'était pas content. Il a grogné, ce qui aurait dû l'alerter, puis il lui a mordu un doigt. Plus tard, Wigwedi est allé à la cuisine et a souillé la paillasse de Pìtku. Il m'est revenu de nettoyer cette urine, mais j'ai insisté pour que Pìtku m'aide.

De même pour La Bave, qui est une bonne chienne. Je croyais bien la connaître, puisqu'elle vit auprès de nous depuis le siège, mais ce matin j'ai appris quelque chose de nouveau à son sujet quand Pìtku a tenté de poser Wigwedi sur son dos. La Bave ne se voit pas comme un cheval. Ce bon gros terre-neuve a donc décidé de s'asseoir sur Pìtku. Celui-ci y a survécu, et j'espère qu'il a compris la leçon.

Le 13 décembre 1760

Chegual a expliqué à Pìtku, en langage des signes, qu'il devait m'accompagner ce matin. Il est donc venu avec moi au magasin de Mister Wharton, car nous manquions de sel, d'encre et de quelques autres effets. C'est là que j'ai appris que Pìtku a la fâcheuse habitude de dévisager les gens et de les pointer du doigt. Probablement parce qu'il est incapable de s'exprimer autrement, quand Chegual n'est pas là. Passe encore quand il dévisage les gens ordinaires, mais quand il l'a fait à mère Marie-Charlotte de Ramezay, j'étais dans un embarras indescriptible.

À sa décharge, il faut avouer que Mère Marie-Charlotte est étonnamment grande, faisant au moins six pieds. Quand elle marche dans la ville, occupée à quelque affaire, il n'est pas difficile de la repérer dans la foule. On raconte que le gouverneur Murray aurait suggéré qu'elle ferait un bon soldat, vu sa taille et sa ferveur patriotique. Mais je doute que ce soit vrai.

Le 14 décembre 1760

Messe à la chapelle des Ursulines, comme d'habitude. En m'agenouillant, je me suis rappelé ce que mère Esther m'a dit un jour : qu'une des premières Ursulines arrivées en Nouvelle-France avait fabriqué un petit Jésus de cire pour les Indiens qui se présentaient à leur mission. Puis je me suis mise à penser à Noël, et surtout à notre crèche. Elle a été détruite l'an dernier, avec toutes ses figurines de cire représentant la Sainte Famille, quand notre maison de la Basse-Ville a brûlé.

En rentrant à pied après la messe, j'en ai parlé à Andrew et Mme Claire. Andrew a dit qu'il se rappelait la crèche de ses grands-parents, quand il était enfant et vivait avec eux en France. Mme Claire a dit que nous aurions peut-être une autre crèche, un de ces jours, mais que pour le moment, ce n'était pas une priorité.

Le 15 décembre 1760

Une nouvelle extraordinaire! Mère Esther a été choisie par ses consœurs ursulines pour devenir la supérieure de leur couvent. Mme Claire dit que Mère Esther mérite vraiment cette nomination. Avec notre ville maintenant aux mains des Britanniques, les religieuses ont montré beaucoup de sagesse en choisissant une Américaine. Après tout, les colonies américaines sont elles aussi des possessions britanniques.

Les Américains! Je me demande s'il est plus facile pour eux que pour nous d'être sujets britanniques.

Le 16 décembre 1760

Quand je suis allée à la cuisine chercher une bougie pour ma chambre, la cuisinière m'a fait remarquer que Pìtku semblait habile de ses mains. Il sait peler une patate en entamant à peine la chair blanche. Quant aux bougies, elle a ajouté qu'il nous fallait un chat, car elles disparaissent à toute vitesse et c'est signe de la présence de souris. Bizarre!

Le 17 décembre 1760

La bibliothèque est devenue la chambre d'Andrew depuis l'an dernier, quand on l'a cantonné chez nous. Chegual et lui se sont mis à y passer leurs soirées, avec Pìtku. Aucune d'entre nous ne peut y entrer parce qu'ils pensent que la compagnie des hommes va lui faire du bien. Mme Claire dit que nous devons tirer parti de cette situation et en profiter pour tricoter les mitaines et les bas que nous voulons leur offrir à tous les trois comme cadeaux de Noël.

Le 18 décembre 1760

Ce soir, La Bave et Wigwedi ont eu la permission d'entrer dans la bibliothèque. Que La Bave soit une femelle ne semblait pas être un empêchement. Je ne l'ai pas entendue grogner, alors je suppose que tout s'est bien passé.

Quant à Pìtku, je crois que son comportement du début était dû à la peur. Dans notre maison, il n'a rien à craindre.

Le 19 décembre 1760

Je les ai vus! J'ai vu mon frère et Pìtku parler ensemble quand ils sont sortis faire des courses aujourd'hui. Ils marchaient côte à côte et ils parlaient pour de vrai, c'est sûr!

Le 20 décembre 1760

Pas un mot ne sort de la bouche de Pìtku. Ils utilisent toujours le même langage des signes. Chegual et lui. Mon imagination m'a peut-être joué des tours.

Le 21 décembre 1760

Quand Mme Claire a quitté la pièce pour aller chercher de la laine, j'ai bien peur d'avoir écouté à la porte de la bibliothèque, en y pressant mon oreille. Des rires. J'ai entendu Chegual, le lieutenant Stewart et Andrew qui riaient doucement. Et je suis certaine d'avoir entendu une quatrième voix, au timbre plus haut et encore jeune, mais à ce moment précis, Mme Claire est revenue, faisant entendre sa voix à son tour : un grommellement bien à elle et qui signifie « On n'écoute pas aux portes, petite curieuse ».

Le 22 décembre 1760

Les bougies! Dès qu'on regarnit la réserve, elles disparaissent. Notre maison serait-elle envahie par une armée de rats et de souris?

Le 23 décembre 1760

Demain, ce sera la veillée de Noël. Nous sommes fin prêts pour le temps de Fêtes.

Le 24 décembre 1760

Ce soir, Andrew a placé une petite bougie dans chacune des fenêtres de la maison, nous expliquant que c'était une tradition des Écossais, appelée *Oidche Choinnle*. Il me l'a épelé. Les bougies vont éclairer la route de la Sainte Famille en cette veille de Noël. Elles vont aussi éclairer notre chemin après la messe de minuit. Chegual a ajouté qu'il se demandait si elles allaient guider les rats et les souris vers chez nous, et nous avons tous bien ri.

Chegual et Pìtku n'assisteront pas à la messe. À la place, ils vont surveiller notre repas de tourtières, préparé par la cuisinière, et empêcher La Bave et Wigwedi de commencer à festoyer sans nous.

Le 25 décembre 1760
Le soir

La première journée du temps des Fêtes a été joyeuse, et je sais que la joie ne fera qu'augmenter au cours des onze journées à venir. Le lieutenant Stewart s'est joint à nous pour les célébrations. Mme Claire et lui se donnent maintenant du Claire et du Jonathan, dans l'intimité de notre maison, et voir ainsi cette amitié grandir entre eux deux me fait chaud au cœur. Tout comme mon amitié pour Andrew.

La cuisinière a préparé un chapon farci de croûtons et d'aromates. Il y avait des patates, évidemment; il y a toujours des patates maintenant, même si autrefois nous ne les trouvions bonnes qu'à donner aux animaux. Avec du beurre et des oignons, elles se laissent très bien manger. Et une tarte aux pommes, qui était délicieuse accompagnée du fromage que le lieutenant Stewart avait apporté. Après le repas, nous nous sommes assis au salon pour faire la conversation.

Pìtku n'a pas dit un mot, même si je voyais ses yeux suivre attentivement les tours de parole de chacun, en particulier quand Chegual parlait.

Le 26 décembre 1760

La Bave dort maintenant avec Pìtku, collée tout contre lui comme une grosse peau d'ours noire. De les voir ainsi ce soir m'a fait sourire.

Le 27 décembre 1760

Il y a quelques jours, Mme Claire a reçu une invitation à la résidence du gouverneur Murray : un souper de gala à l'occasion du temps des Fêtes. Le lieutenant Stewart va l'accompagner. J'étais invitée moi aussi, mais j'ai un gros rhume en ce moment et ne peux pas vraiment y aller.

Andrew, que mon rhume n'incommode en rien, va me (ou plutôt nous) tenir compagnie ce soir.

Je déteste avoir un gros rhume, mais j'ai bien hâte de passer une soirée avec Andrew.

Le 28 décembre 1760

Hier soir, Andrew m'a parlé de l'esclavage. Plusieurs de ses amis écossais ont été vendus comme esclaves après la bataille de Culloden. Il méprise cette institution tout autant que moi et pourtant, il considère que Pìtku a de la chance. « Jusqu'au jour de sa libération, il a un toit pour l'abriter, des femmes au bon coeur pour s'occuper de lui, un guerrier abénaquis pour lui servir de guide et une bonne chienne pour lui tenir compagnie », m'a-t-il expliqué. Quand j'ai dit que je me demandais si Pìtku était heureux ici, il a dit : « J'en suis sûr et certain ».

Si seulement Pìtku pouvait le dire lui-même.

Le 30 décembre 1760

C'est étrange que des choses nouvelles puissent devenir si familières et que des traditions jusque-là inconnues de nous puissent devenir les nôtres. Demain soir, nous allons fêter *Hogmanay*, alors que nous n'en avions jamais entendu parler avant l'arrivée des Écossais. Nous devons mettre la maison en ordre et la nettoyer de la cave au grenier, chose que notre cuisinière approuve tout à fait.

Le 31 décembre 1760
Au point du jour

Le lieutenant Stewart a été notre premier visiteur de l'année, comme disent les Écossais. Il a passé notre seuil juste après minuit, portant du charbon, une bouteille de whisky écossais et des gobelets, et criant *Lang may yer lum reek!* qui signifie « Puisse votre cheminée fumer longtemps ». C'est peut-être bizarre, écrit comme cela, mais c'est une pensée réconfortante, car, si votre feu fume longtemps, c'est que vous êtes bien au chaud.

Nous avons servi le *het pin* dans les petits gobelets qu'Andrew appelle des quarts. Le mélange d'œufs, de bière chaude et de sucre était délicieux! La nuit a été des plus agréables. Le bruit des festivités se faisait entendre par toute la ville, et chez nous aussi, quoique dans un registre plus doux.

1761

Le 1er janvier 1761

Mère Esther a pour son dire qu'une histoire doit toujours être racontée du début jusqu'à la fin. Je vais donc le faire maintenant. Après la messe, nous les femmes avons passé le reste de la journée à nous reposer en attendant une autre soirée de festivités. En effet, il restait les étrennes à échanger.

Quand ce moment est enfin arrivé, notre souper avalé et les miettes balayées de la nappe, Mme Claire et moi avons apporté les paquets. Andrew, Chegual et le lieutenant Stewart se sont exclamés d'admiration en voyant nos tricots. Le petit Pìtku avait l'air content lui aussi, même s'il n'a fait que sourire.

Puis plus rien.

Les hommes sont retournés à leur pipe et leur xérès, la conversation est tombée et la soirée s'est poursuivie. Mme Claire ne semblait pas en être affectée alors que moi, intérieurement, je ne pouvais pas m'empêcher d'être déçue que personne n'ait pensé à nous offrir un cadeau. Puis je me suis sentie coupable.

En moi-même, je me suis servi une leçon sur la cupidité, et j'allais prendre le dessus quand Andrew a dit : « Mon journal, Geneviève. Il y a une page que je voudrais lire à haute voix. Pourrais-tu me l'apporter? » Pas de cadeau, et voilà que maintenant il me demandait d'aller lui chercher son journal. J'ai rouspété en moi-même et je rouspétais toujours, jusqu'au moment où j'ai ouvert la porte de la bibliothèque.

Là, sur la table, se trouvait une crèche toute simple. La Vierge Marie et Saint Joseph étaient penchés au-dessus d'une petite auge dans laquelle reposait l'Enfant Jésus. Derrière se trouvaient le bœuf et l'âne. Il y avait aussi un lapin et un gros chien.

« Il semblait normal de les ajouter », a dit Andrew, qui était entré dans la bibliothèque avec tous les autres. Le mystère était enfin éclairci! Pìtku a eu comme tâche de rassembler toutes nos bougies, car Chegual avait décidé que la crèche devait être fabriquée avec ce que nous avions à la maison. La cuisinière s'est vue confier la mission de me mettre dans la tête l'histoire des souris. Les soirées passées dans la bibliothèque? Elles ont servi à faire fondre la cire, à la modeler grossièrement, puis à sculpter ces masses (les doigts agiles de Pìtku ont beaucoup travaillé) jusqu'à ce que chaque figurine soit parfaite. Même La Bave et Wigwedi, qui ont posé comme modèles vivants, faisaient partie de la conspiration.

Rien ne pouvait me rendre plus heureuse! Pourtant, la seconde d'après, j'ai éprouvé une joie encore plus grande.

« Bonne année, Geneviève », a dit Pìtku lentement et en articulant bien. J'avais envie de le prendre dans mes bras depuis si longtemps, tandis que Chegual nous expliquait tout. Ils n'avaient pas passé tout ce temps à s'amuser avec la cire. Ils avaient aussi pris le temps d'apprendre des mots à Pìtku et aussi à converser.

Les cadeaux peuvent prendre toutes sortes de formes : amitié, générosité et, oui, même quelques petits mots. Il y aura encore beaucoup d'autres mots et bien d'autres conversations, mais pour aujourd'hui, ces trois mots de Pìtku valent leur pesant d'or.

CHARLOTTE BLACKBURN

PANIQUE DANS LE PORT

Charlotte Blackburn,
au temps de l'explosion
du port d'Halifax

Halifax, Nouvelle-Écosse
26 septembre 1917– 24 mars 1918

JULIE LAWSON

Charlotte et son frère Luc, qui est soldat en Europe pendant la Première Guerre mondiale, s'écrivent fréquemment. Charlotte craint pour la vie de Luc. En effet, le pire qui pourrait arriver c'est qu'il ne revienne jamais de la guerre. Dans un an, sa propre vie sera bouleversée quand un navire rempli de munitions prendra feu dans le port de Halifax et provoquera la plus grosse explosion causée par l'homme de tous les temps. La ville d'Halifax sera rasée.

La guerre vue de Halifax

Camp Whitley, Angleterre
7 décembre 1916

Ma chère famille,
Merci mille fois pour votre dernière lettre. Elle a mis seulement onze jours à me parvenir!
Cette fois-ci je vais vous écrire une vraie lettre, et pas une carte postale de l'armée, je vous le promets. Elle pourrait même être assez longue, alors j'espère que vous êtes bien installés au coin du feu avec une théière à portée de la main.
Nous croyions que notre entraînement était terminé quand nous avons quitté le Canada en octobre dernier, mais pas du tout. Nous en avons fait deux mois de plus une fois rendus ici, et ce n'est pas encore fini. Mince alors, ce n'était pas suffisant la première fois? Les défilés, les inspections, les entraînements de peloton, trois marches forcées par semaine (parfois de nuit), les exercices de tir,

les exercices de baïonnette, les saluts militaires jusqu'à n'en plus sentir nos bras. Pardi, c'est la vie à l'armée! Ne jamais poser de questions et se contenter d'obéir aux ordres.

Je ne sais pas quand nous traverserons en France, mais j'espère que ce sera bientôt. Ça nous démange de passer à l'action et de faire notre part! Je sais que vous faites la vôtre. Parlant d'action, nous sommes assez près du cœur des opérations, avec les avions, et parfois aussi les ballons dirigeables, qui patrouillent la côte, les gros projecteurs qui cherchent dans le ciel les avions ennemis et les soldats d'un camp voisin qui font des exercices de tir antiaérien. Par temps clair, en montant assez haut en altitude, on peut voir les côtes de France, de l'autre côté de la Manche. Le dimanche, nous formons nos rangs et nous nous rendons à l'église, puis nous avons l'après-midi libre sauf quand nous sommes de corvée. Quelle est l'andouille qui a inventé ça? La corvée de cuisine est la plus dégoûtante : nettoyer les casseroles et peler les patates. Nous rouspétons toujours un peu, mais, pardi, ça fait partie du jeu!

Nous avons aussi les samedis après-midi de libres. J'en ai profité quelquefois pour aller me changer les idées à Godalming. Je crois que je vous ai déjà dit que c'était la ville la plus proche du camp Whitley. La grand-rue est bondée de gens qui font leurs courses de Noël, et les magasins sont décorés avec des guirlandes, comme chez nous. Les gens d'ici n'ont pas leur pareil, tant ils en font pour les soldats : spectacles gratuits tous les week-ends avec des artistes venus de Londres (les meilleurs que j'aie vus de toute ma vie) et soirées de danse gratuites au YMCA environ une fois par semaine. Et tout plein de pubs, quand on veut manger de la bonne bouffe ou boire quelques bières. En plus, ce sont des femmes qui servent au bar! Bien sûr, il y a toujours quelques galonnés chargés de voir à ce que les soldats ne s'amusent pas trop.

Hier j'ai eu l'honneur d'être désigné comme *chef de peloton*! Vous vous demandez pourquoi? Parce que j'ai été le meilleur soldat pendant le défilé du matin. J'ai reçu une récompense aussi : exempté des défilés et des corvées pendant 24 heures!

Plus que 20 minutes avant la fin de mon temps libre, alors je vais terminer ici. Ça va me faire drôle de passer Noël loin de chez nous, mais ici nous sommes tous dans le même bateau et nous allons fêter du mieux que nous le pourrons. Je compte sur vous pour en faire autant!

Rien ne peut remplacer les lettres qui arrivent de chez nous, alors continuez de m'en envoyer. Prenez soin de vous et passez un joyeux Noël. C'est un ordre!

Avec toute mon affection de grand frère et de fils.

Luc

Camp Blackburn, Halifax

MON cher frère, ~~le plus toqué~~, le plus gentil

JE SUIS ~~courageuse~~, pas loyale, ~~idiote~~, désolée

NOUS SOMMES pris par les préparatifs de Noël, ~~nous posons des cages à homards~~ et aimerions t'avoir auprès de nous

J'EN AI MARRE ~~de la gadoue~~, des problèmes, ~~de la morue~~, ~~du sirop d'érable~~, des corvées de cuisine

LE TEMPS EST à la pluie, à la neige, incertain

MERCI POUR ta lettre

POUR NOËL, J'AIMERAIS RECEVOIR ~~une baïonnette~~, une lettre de toi adressée juste à moi

DE LA PART DE ~~ta cousine~~, ~~ton amoureuse~~, ta sœurette qui t'aime

SIGNÉ *Charlotte Blackburn*

DATE 16 décembre 1916

Lundi 18 décembre 1916

Cher Luc, « chef de peloton »

Nous avons reçu ta lettre ce matin et nous avons ri un bon coup à l'annonce de ta nomination! Duncan a même découpé dans du carton une silhouette te représentant en chef de peloton, pour l'accrocher dans notre sapin de Noël. Pas tout en haut, à la place de l'ange, mais assez près. Maman dit que nous avons besoin de l'ange pour veiller sur toi.

J'espère que tu aimes ma carte postale de l'armée. J'ai recopié le formulaire de celles que tu nous as envoyées, et j'ai complété le reste. Je n'étais pas censée t'envoyer autre chose, mais tu me connais : il faut que je t'écrive aussi une lettre. Nous sommes *tous* en train de t'écrire une lettre, alors tu vas avoir des tonnes de nouvelles.

Maman et papa gardent le moral, mais tu leur manques terriblement. Maman ne touche pas la part de ta solde que tu lui as envoyée. Elle dit que, si la guerre dure encore longtemps, la nourriture va être rationnée et les prix vont monter en flèche. Un surplus d'argent sera alors très utile. « Pour les mauvais jours », dit-elle. Quand je lui ai dit qu'il faisait bien assez mauvais aujourd'hui, elle m'a dit d'arrêter mes insolences.

Duncan est de corvée de charbon depuis le début de décembre. Il transporte des seaux de charbon dans la maison, ainsi papa n'a pas besoin de le faire. Il pense à Noël, notre Duncan, et il espère que le Père Noël va lui apporter une paire de patins, et pas un morceau de charbon. Il a même découpé une annonce dans le journal et l'a collée sur la glacière : GRANDE VENTE DE PATINS, 70 ¢ LA PAIRE.

Une nouvelle paire de patins me plairait bien, mais je préférerais un autre livre d'Anne. *Anne d'Avonlea* est le tome qui suit *Anne, la maison aux pignons verts*, que j'ai lu trois fois.

En ce moment même, Duncan est en train de colorier

un autre « chef de peloton », et devine où il va aller? Exactement ce qu'il te faut, Luc : un soldat de plus dans ton baraquement!

Tous les soirs, Édith et moi jouons des cantiques de Noël, parfois en duo. Maman aime nous accompagner en chantant, tout en rangeant la cuisine après le souper, alors elle me donne congé de corvée de cuisine. Mais pas Ruth, et ça la met en rogne! Hier Édith et moi avons fait du fondant à l'érable pour Noël. Tu vas en avoir dans ton prochain colis. (S'il en reste : ha ha!)

As-tu reçu notre colis de Noël? Nous l'avons posté le 8 décembre.

Cricri court toujours en rond autour de Duncan et moi quand nous la sortons, et elle n'arrête pas de battre de la queue. Elle arrive ainsi à faire doubler la longueur de sa promenade.

Ruth t'a probablement parlé de son premier rôle dans le spectacle de Noël de Richmond. Elle a joué son rôle de Daisy en se tordant si souvent les mains (parce que son amoureux avait été envoyé au front) que c'est un miracle s'il lui reste encore de la peau dessus. Je dois avouer que Ruth était très bonne dans son rôle, surtout que le bon caractère de Daisy ressemble si peu au sien. Ruth est toujours prête à tordre le cou de quelqu'un, le mien en particulier.

Au spectacle, j'ai chanté dans la chorale. Tous mes cantiques préférés, sauf O *Tannenbaum*, parce que c'est en allemand. *Tannenbaum* est le seul mot allemand de tout ce cantique, alors pourquoi ne pas le changer en « Mon beau sapin »? J'ai posé la question au directeur et je me suis fait réprimander pour mon manque de loyauté envers nos soldats. Je me suis sentie si coupable que j'ai cessé de jouer ce cantique à la maison.

Est-ce un manque de loyauté d'avoir un sapin de Noël, car à l'origine c'était une tradition allemande? Je me le demande bien.

En lisant ma carte postale, tu as sans doute deviné que quelque chose me tracasse, alors je vais te dire quoi maintenant. Tu te rappelles mon amie Éva? J'ai toujours aimé aller chez elle dans le temps de Noël parce que les Noëls dans sa famille sont si différents de chez nous. D'abord, ils ont un calendrier de l'avent. Tu te rappelles le Noël avant la guerre, quand Duncan et moi en avions fabriqué un? Un calendrier de l'avent va du 1er au 24 décembre, et pour chaque jour il y a une petite porte qui cache une image, comme une scène de Noël ou un objet significatif. Maman l'avait affiché dans la cuisine et chacun de nous, à tour de rôle, ouvrait une petite porte (un rabat de papier en fait) jusqu'à la veille de Noël. Tu t'en rappelles maintenant?

Donc, dimanche dernier, j'ai soupé chez Éva. Sa maman a allumé la deuxième bougie rouge de leur bougeoir de l'avent (avec une bougie pour chaque dimanche précédant Noël) et nous avons chanté des cantiques, comme *Sainte Nuit!* M. Heine nous accompagnait à la guitare. Puis nous avons aidé sa maman à fabriquer des biscuits au gingembre de toutes les formes, à suspendre dans nos sapins de Noël. Je ne pensais pas faire quelque chose de déloyal. Mais le lendemain à l'école, Deirdre et Muriel sont venues me voir et m'ont dit qu'elles m'avaient vue sortir de chez Éva, et se demandaient ce que je faisais là, à « fréquenter l'ennemi »? Est-ce que j'ignorais que M. Heine était un traître et un espion? Est-ce que je voulais vraiment devenir membre de leur club des Filles anti-Boches? Si je *voulais* devenir une F.A.B., je devais cesser de voir Éva, sinon elles *ne* me parleraient *plus*.

Les F.A.B. se réunissent, écrivent des lettres aux soldats et tricotent des bas, comme nous le faisons avec les Jeunesses de la Croix-Rouge. Elles organisent aussi des fêtes. Il y en aura une chez Deirdre, ce vendredi. Elles n'ont pas le droit de parler aux Allemands ni de fréquenter le magasin de M. Heine parce qu'il envoie de l'argent à de la parenté en Allemagne et qu'ils l'utilisent pour acheter des armes pour leurs soldats qui vont tuer les nôtres.

Tout le monde dit tout le temps que chacun doit faire sa part et faire des sacrifices si nous voulons remporter la victoire. Il suffit de peu de chose : remplacer le beurre par de la margarine ou ne jamais gaspiller de nourriture. (Maman m'a surprise en train de jeter un vieux croûton, et j'ai eu droit à tout un sermon.)

Donc, j'essaie de faire ma part, Luc. Je tricote des bas,

je fais des rouleaux de bandages, je garnis des bas de Noël et prépare des colis pour nos soldats. Je voulais en faire plus après ce que Deirdre m'a dit, alors j'ai décidé de faire un sacrifice et de ne plus être l'amie d'Éva.

Mais c'était *affreux* de voir Éva de l'autre côté de la cour d'école, toute seule qui nous regardait. Je ne me sentais pas à l'aise de l'ignorer, et c'est resté pareil toute la semaine. Heureusement, maintenant ce sont les vacances, et je n'aurai plus à la voir tous les jours.

C'est bizarre, mais je n'ai jamais vu Éva comme une Allemande. En fait, elle ne l'est pas, c'est seulement son père. Il a un accent, mais ça ne me dérange pas, et je ne l'ai jamais vu comme un « Boche ». Pourtant, ce que Deirdre a dit est vrai : Éva a de la famille en Allemagne. Elle me montrait toujours les cadeaux qu'ils lui envoyaient.

Tu te dis probablement que j'aurais pu me contenter de t'envoyer la carte postale, au lieu de te rabâcher mes petits soucis, mais tu n'es pas obligé de tout lire. J'espère seulement que tu es fier de moi, pour avoir renoncé à quelque chose d'important.

Samedi, il y a eu une fête de Noël au chantier naval, pour les enfants des employés. (Ruth a décidé qu'elle était « trop sophistiquée » pour ça et est restée à la maison.) Le Père Noël est passé et a distribué des bonbons et des noix. Cette semaine, nous allons faire notre arbre de Noël et décorer la maison. Duncan s'est proposé pour te remplacer et accrocher les guirlandes comme il faut. Tu te rappelles quand papa faisait le clown et les posait en gros paquets sur les branches? Cette année, ça ne se passera pas comme ça!

Je dois y aller, sinon le bureau de poste sera fermé. Écris-moi bientôt!

Ta sœurette,
Charlotte.

Camp Whitley, Angleterre
23 décembre 1916

Ma chère famille,
Mille mercis pour le beau colis de Noël qui est arrivé la semaine dernière. Ai-je obéi à vos ordres en attendant le jour de Noël pour l'ouvrir? Pardi, non! Le nécessaire de rasage et la papeterie étaient exactement ce qu'il me fallait, et aussi le gâteau, les friandises, le tabac, les bas, le savon et le reste. Je suis comblé!
Toute la semaine, nous avons reçu des colis et des cartes de Noël. Le grand luxe! Nous avons dû recevoir au moins 150 boîtes de victuailles et depuis, nous nous nourrissons principalement de gâteaux et de bonbons! Avec des noix, du chocolat, des biscuits, des conserves de viande, de lait, de saumon, et de la confiture et du fromage. Avec aussi d'autres choses que de la nourriture, comme de bonnes

cigarettes, des mouchoirs, etc.
Les gars partagent volontiers leur bouffe, sauf que nous mettons tous de côté des choses pour quand nous serons au front. Je pense que ce sera comme une bénédiction, quand nous serons là-bas. Et, maman, je dois te dire que le gâteau aux fruits dans sa grosse boîte de métal a eu un franc succès : moelleux, savoureux, comme si on était chez nous dans la cuisine. Il a remporté le premier prix, et la compétition était serrée! (Probablement à cause de la bonne rasade de rhum ajoutée à la pâte, pas vrai papa?)
J'en ai mis de côté, vous l'avez deviné!
Hier j'étais de corvée de décorations, et nous avons accroché des guirlandes et des branches de sapin dans la cantine et même décoré un arbre de Noël offert par le YMCA de Godalming.
Je dois m'arrêter maintenant. Joyeux Noël et toute mon affection à chacun de vous.

Luc

Mercredi 20 décembre 1916

Cher Luc,

TRÈS IMPORTANT : tu dois D'ABORD lire ma lettre du 18 décembre. (Si tu l'as reçue.) Sinon tu ne comprendras rien à celle-ci.

Hier j'étais à l'arrêt du tramway avec Deirdre et Muriel, et voilà qu'arrivent Éva et son frère, Werner. Éva nous a saluées, mais nous *lui avons tourné le dos*, comme si elle n'avait pas été là. Je me sentais très mal à l'aise; je ne me reconnaissais plus.

À bord du tramway, c'était encore pire. Des hommes âgés parlaient très fort des « Boches » au Canada et du gouvernement qui devrait *tous* les emprisonner. Ils parlaient de la Loi sur les mesures de guerre et que c'est bien beau de fermer les écoles et les journaux allemands et d'obliger les « Boches » à porter sur eux des papiers d'identité spéciaux, mais qu'on ne devrait pas les laisser vivre dans nos villes et manger notre nourriture, et ainsi de suite. Pendant tout ce temps, Deirdre et Muriel n'arrêtaient pas de ricaner et de montrer Éva du doigt, et j'étais si mal à l'aise que j'aurais voulu m'enfoncer dans le plancher et disparaître.

Donc, au bout de quelques rues, Éva a dit quelque chose à Werner, et ils se sont levés pour descendre, même si ce n'était pas encore leur arrêt. Éva nous a tous pris par surprise en lançant un « Joyeux Noël, tout le monde! » à la cantonade. Des gens ont souri et lui ont rendu la pareille, même les vieux (parce qu'ils ne pouvaient pas savoir qu'elle était allemande), et j'aurais voulu en faire de même moi aussi.

Le pire de tout, c'est qu'Éva a croisé mon regard avant de descendre et que, même si sa voix avait semblée enjouée (le ton qu'on prend quand on dit Joyeux Noël), elle avait l'air si désespéré que j'aurais voulu descendre avec elle. Mais je n'en ai pas eu le courage, à cause de

Deirdre avec son air renfrogné à côté de moi.

Depuis que je suis membre du club des F.A.B., je sens toujours comme un poing dans mon estomac. Tu sais Luc, comme quand on a mangé quelque chose qui ne passe pas. Quand je pense à toi et à la guerre, alors ça ne va pas trop mal parce que je sens que je fais mon devoir de patriote. Mais le reste du temps, je pense à Éva, et je me sens mal.

Je suis désolée de t'ennuyer avec mes histoires.

Tu peux t'attendre à recevoir un autre colis bientôt. Maman t'a fait d'autres gâteaux, et j'ai préparé du fondant au chocolat juste pour toi.

Ta petite sœur qui t'aime,
Charlotte

Londres, Angleterre
30 décembre 1916

Ma chère famille,
Tenez bien vos tuques : je suis à Londres! « The Big Smoke », comme disent les Anglais. Vous trouvez qu'il y a du brouillard à Halifax? Vous n'avez rien vu, comparé à ici.
J'ai passé le jour de Noël au camp Whitley, et finalement c'était pas mal, sauf que vous m'avez beaucoup manqué. L'armée nous a offert un repas de Noël avec de l'oie rôtie

accompagnée de purée de pommes de terre, puis de la tarte au mincemeat et du plum pouding. Chaque soldat a reçu, de la part des Dames auxiliaires d'ici, un colis (le mien contenait une serviette de toilette, une savonnette et des chaussettes) et, de la part de la Croix-Rouge canadienne, un bas de Noël bourré à craquer. D'autres organismes nous ont aussi offert des serviettes, encore des chaussettes, et des cigarettes, des chocolats et même des cornichons! C'est réconfortant de savoir que des gens pensent aux soldats.

J'ai eu la chance d'obtenir un sauf-conduit de trois jours, alors je suis parti à Londres faire du tourisme. Notre aumônier a organisé le transport, les visites et l'hébergement. Un copain et moi avons été placés chez un couple très gentil, et nous avons été traités comme des rois.

La ville de Londres est pleine de soldats, et il y a de quoi s'amuser à n'en plus finir : cinémas, théâtres, danses, concerts, pubs, restaurants. Voilà la vie trépidante que je mène depuis trois jours. Et écoutez bien ça : j'ai même pu prendre un bon bain chaud!

J'ai entendu une histoire incroyable à propos d'une trêve qui aurait eu lieu en France à Noël, pendant la première année de la guerre. C'était la veille de Noël. Des « Rosbifs » et des « Boches » se faisaient face, à pas plus de 10 ou 20 mètres de distance, et quand un des camps a entonné des cantiques de Noël, l'autre camp s'est joint à eux! Ils se sont mis d'accord pour cesser les tirs, puis tout le long des lignes, ils ont planté de petits arbres de Noël avec des bougies sur les branches. Ensuite ils se sont rejoints dans le *no man's land* et ensemble ils ont ri, fait des blagues, échangé des cadeaux et même joué au soccer. Mince alors! Incroyable, non?

Cela ne pourrait jamais arriver cette année, avec toutes les pertes en vies humaines, mais je me demande bien ce que je ferais si jamais ça arrivait. Serais-je capable de regarder un Fritz droit dans les yeux en chantant des cantiques de Noël? Ou lui envoyer un ballon de soccer? Est-ce que je verrais en lui un gars de mon âge? Ou verrais-je plutôt un « Boche » capable de m'abattre sans même sourciller? Quand je serai rapatrié, serai-je capable de voir ou d'entendre un Boche sans penser au mot ennemi?

Bon Dieu, qu'est-ce que je dis là? Dans l'armée, personne n'est censé PENSER. Voilà ce qui arrive quand on reste cantonné trop longtemps à attendre!

Je crois que je ferais mieux d'arrêter de ronchonner. Nous nous entraînons pour devenir de meilleurs soldats, non? Ainsi, quand viendra le temps, nous saurons mieux tirer notre épingle du jeu, quoi qu'il puisse nous arriver.

Mes souhaits pour 1917 sont les mêmes que les vôtres, je crois : *la victoire des Alliés et une réunion de la famille Blackburn!* Continuez de m'envoyer des lettres et bonne année!

Avec toute mon affection de grand frère et de fils.

Luc

P.-S. 2 janvier 1917. J'ai tardé à mettre ma lettre à la poste, alors voici d'autres nouvelles. Hier, nous avons reçu un cadeau de Noël en retard, de la part de l'armée britannique : nos bottes Kitchener! Vous savez ce que cela veut dire? De un, nous pouvons balancer aux poubelles nos vieilles bottes canadiennes, et de deux, *le temps est arrivé!* Le cuir de nos bottes va probablement avoir le temps de se faire à nos pieds bien avant d'attaquer les « Boches », mais nous allons quand même finir par voir un peu d'action!

1er janvier 1917

Cher Luc,

Bonne Année! Comment s'est passé ton Noël?

Ce matin, nous sommes allés à l'église pour un office spécial à l'occasion de Noël, puis nous avons passé le reste de la journée bien tranquilles à la maison, à chanter des cantiques, à lire (*Anne d'Avonlea*) et à nous empiffrer. Au souper, nous avons levé nos verres à ta santé. Maman essayait de rester gaie, mais elle avait du mal, avec toi qui n'es pas là. Nous lui avons rappelé que tu es en sécurité en Angleterre et non pas au front. Elle a semblé un peu réconfortée, jusqu'au moment où Ruth a dit : « Luc ne s'ennuie sûrement pas de nous, maman. Il est probablement encore à Londres en train de s'amuser comme un fou! »

Le pauvre Duncan a bien reçu des patins pour Noël,

mais il n'y a pas de glace pour patiner. Pas de neige non plus.

Tu te rappelles ma dernière lettre à propos du club des F.A.B.? Et bien, vendredi après le souper, je suis partie pour la fête chez Deirdre et j'étais rendue dans sa rue quand j'ai aperçu Muriel et d'autres filles qui entraient dans la maison, toutes excitées, et je n'ai pas pu faire un pas de plus. Tout ce que j'avais en tête, c'était Éva.

Alors, sans vraiment m'en rendre compte, je me suis rendue jusque chez elle. Je n'aurais pas pu la blâmer si elle m'avait fermé la porte au nez, mais elle ne l'a pas fait. Elle ne m'a même pas laissé terminer mes excuses. Elle m'a invitée à entrer, et j'ai pris le thé et des biscuits au gingembre avec toute sa famille. Je leur ai offert le fondant au chocolat que j'avais préparé pour chez Deirdre. Et nous étions là, assis autour de la table de la cuisine, en train de rire, bavarder et faire des plans pour la suite des vacances comme si de rien n'était. Tu ne peux pas savoir comme j'étais soulagée! Ce soir-là, quand je suis rentrée chez nous, j'étais *presque* totalement empreinte de l'esprit de Noël (je dis presque parce qu'il y a encore la guerre), mais j'avais quand même le cœur cent fois plus léger.

Il y a en Éva plus de bonté et plus de courage qu'en moi. Je ne peux pas cesser d'être son amie, pas à cause de ce qu'est son père. D'ailleurs, il est bien plus canadien qu'allemand maintenant, non? J'espère que les autres filles vont en venir à penser comme moi, sinon elles vont passer à côté d'une amie généreuse et qui sait pardonner.

Maman dit qu'elle est fière que j'aie pris cette décision toute seule. Duncan dit que, au départ, j'ai été stupide de devenir membre de leur club, comme si le sacrifice d'une amitié pouvait changer quelque chose à la guerre. De retrouver son amitié a *vraiment* changé quelque chose, Luc. Alors, ne crois surtout pas que je manque de loyauté.

Le lendemain de Noël, Éva est venue chez nous avec un gâteau que sa mère fait spécialement pour Noël. Ça s'appelle un *Stöllen* et c'est plein de noix, de fruits confits et de raisins secs. Nous nous sommes assis pour déguster du chocolat chaud avec de grosses tranches de *Stöllen*, et tout le monde a adoré ça. Plus tard, maman a donné à Éva du gâteau aux fruits à offrir à sa famille.

Nous avons si hâte d'avoir des nouvelles de ton Noël! Si tu nous as déjà écrit, nos lettres se sont probablement croisées au beau milieu de l'Atlantique. Sinon, fais-le tout de suite, et c'est un ordre! (Duncan m'a dit d'ajouter ça.)

Notre vœu du Nouvel An est que les Alliés remportent la victoire avant que tu ne quittes l'Angleterre, même si cela te démange de te retrouver là-bas au front. Ce serait merveilleux de commencer ainsi l'année 1917, tu ne trouves pas?

Ta sœurette qui t'aime
Charlotte

Flore Rutherford

À la sueur de mon front

Flore Rutherford
11 ans, enfant-ouvrière
Almonte, Ontario
19 mai 1887 - 14 février 1888

SARAH ELLIS

Pendant ses dix années d'orphelinat, Flore rêvait d'avoir une vraie famille. Elle l'a finalement trouvée auprès de son oncle et de sa tante. Toutefois, elle devait travailler de longues heures à la filature de laine, où le travail était parfois dangereux. Un jour, le malheur a frappé sa nouvelle famille. Il leur a fallu déménager, et Flore a dû apprendre à s'entendre avec ses nouveaux cousins.

Le secret de Henri

10 décembre 1888

Mlle McPhee se marie! Elle nous l'a annoncé ce matin, juste avant l'heure du dîner. Elle va épouser M. Sutherland, qui est propriétaire du magasin de nourriture pour animaux à Kamloops. Elle nous a montré sa photo. Il a une moustache, mais Dieu merci, pas de favoris. Je ne vois vraiment pas Mlle McPhee se marier avec un homme à favoris!

Ensuite, Mlle McPhee a terminé la classe. Alors, les garçons ont englouti leur dîner et se sont rués dehors pour continuer leur bataille de boules de neige. Ma famille compte maintenant quatre garçons, et ils sont toujours un mystère pour moi. N'ont-ils aucune curiosité pour tout ce qui est intéressant? Évidemment, toutes les filles sont restées à l'intérieur pour poser des questions à Mlle McPhee. Même ma cousine Martha, qui ne reste jamais en place pendant les leçons, est restée à écouter, sage comme une image. Le mariage aura donc lieu le

29 décembre. Mlle McPhee ira vivre en ville, dans une maison que M. Sutherland a bâtie, avec des murs en plâtre à l'intérieur et une grande fenêtre en baie. (Bertha David a demandé si elle aurait des rideaux en dentelle, et Mlle McPhee a dit qu'elle espérait bien que oui, un jour.)

Quand M. Sutherland a décidé qu'il voulait épouser Mlle McPhee, il a écrit à son père qui habite en Ontario afin de lui demander sa main. (Martha a demandé pourquoi il voulait juste une main, et Mlle McPhee a ri et lui a expliqué cette expression. Elle sait toujours comment expliquer les choses, et pas seulement la géographie.) M. McPhee en a parlé à Mme McPhee, qui en a parlé à la sœur aînée de Mlle McPhee, qui en a parlé à la sœur cadette de Mlle McPhee, qui est aussi maîtresse d'école et qui vit à Victoria, qui a rapporté à Mlle McPhee que M. Sutherland avait dit que Mlle McPhee était « son plus cher trésor en ce monde ». Les parents de Mlle McPhee ont dit oui, même s'ils sont tristes à l'idée qu'elle va faire sa vie loin d'eux, en Colombie-Britannique.

La sœur cadette de Mlle McPhee lui prépare son trousseau. Se rappelant qu'elle était maîtresse d'école, Mlle McPhee a écrit le mot « trousseau » au tableau, pour que nous apprenions à l'écrire correctement. Puis elle a oublié qu'elle était maîtresse d'école et nous a dit que tout, dans son trousseau, était somptueux! Elle va avoir deux tenues de nuit, deux crinolines, quatre pantalons bouffants et six jupons ainsi que des robes et une veste.

Incroyable, d'avoir tous ces vêtements neufs en même temps! Et pas taillés dans de vieux sacs de farine, j'en suis sûre.

Puis Bertha a demandé à Mlle McPhee si elle allait porter son somptueux trousseau à l'école, quand elle serait mariée, et Mlle McPhee a dit qu'elle ne reviendrait pas à l'école après le Jour de l'An. Martha s'est mise à pleurer, et j'en aurais bien fait autant. « Je pensais que vous aviez compris, a dit Mlle McPhee. Une femme mariée ne peut pas être maîtresse d'école. » Puis elle a serré Martha dans ses bras.

Nous avons parlé si longtemps que Mlle McPhee a oublié de sonner la cloche et, dans l'après-midi, nous avons dû laisser tomber le calcul. On aurait pu croire que cela aurait rendu le cousin Henri de bonne humeur, car il a du mal avec le calcul, mais non. Sur le chemin du retour, j'ai essayé de lui parler du mariage, mais il n'a pas desserré les dents, comme d'habitude. Tante Janet dit qu'il est timide, mais on dirait que c'est seulement avec *moi*. Et comment fait-il pour rester timide depuis si longtemps? Ça fait des *mois* que nous sommes venus rejoindre la famille d'oncle Wilfred, ici dans l'Ouest.

Je suis heureuse pour Mlle McPhee, mais je suis triste pour moi. La nouvelle maîtresse sera-t-elle gentille? Et pourquoi les femmes mariées ne peuvent pas être maîtresses d'école? À Almonte, personne ne disait que les femmes mariées ne pouvaient pas travailler à la filature. Même les femmes enceintes pouvaient y travailler. Je suppose que le métier de maîtresse d'école est plus respectable. Mais se marier est aussi respectable. Alors une maîtresse d'école mariée devrait être deux fois plus respectable, non? La vie n'est pas logique comme le calcul, dirait-on.

11 décembre 1888

Je rentre tout juste de l'écurie. Si j'étais aveugle, je trouverais quand même le chemin de l'écurie avec mon nez, en suivant l'odeur des chevaux, de la poussière, du cuir, du foin et, ce soir, du whisky. Olivier est en train de traiter un cheval qui a des coliques. Comme remède, il lui donne du laudanum, du whisky et de l'eau. Olivier dit que cette « cayuse » sera sur pieds dès demain matin. Olivier dit « cayuse » à la place de « cheval ». C'est le nom d'une tribu indienne de l'Oregon.

Olivier est un simple cow-boy, mais il en sait autant qu'un vrai vétérinaire. Oncle Wilfred dit qu'il est le meilleur pour « lire » une prairie. Ça veut dire qu'en regardant une prairie, il peut dire combien de bêtes peuvent y brouter et pendant combien de temps. Quand il m'a expliqué cela, j'ai pensé à M. Houghton qui triait les toisons à la filature : il pouvait « lire » une toison et savoir quel genre de fil de laine elle pourrait donner.

Olivier aime raconter des histoires de grands déplacements de troupeaux. « Des semaines et des semaines de bannock, de fèves au lard et de café. » Ce soir il m'a expliqué comment on fait traverser une rivière à un troupeau. Si c'est au printemps, on attrape les veaux au lasso et on les installe dans une barque. Quand ils se mettent à meugler, le reste du troupeau se jette à l'eau pour les rejoindre sur l'autre rive. Si c'est en automne, c'est plus difficile. Il faut tracer une piste dans une berge escarpée et y amener le troupeau. Alors, les cowboys doivent effrayer les bêtes en criant et en agitant des boîtes de métal remplies de cailloux afin de les forcer à entrer dans l'eau glaciale.

Oncle Wilfred dit qu'Olivier peut s'emporter quand il a bu trop de whisky. Moi, je ne l'ai jamais vu s'emporter. Au contraire, il est toujours doux avec les animaux, patient quand il donne des explications et passionnant quand il raconte ses histoires. J'imagine bien que Mlle Beulah Young et ses amies adeptes de la tempérance essaieraient de lui faire prêter serment et abandonner le whisky pour le restant de ses jours.

12 décembre 1888

Pendant le souper, j'ai annoncé la grande nouvelle du mariage, et tout le monde m'écoutait. Mais là, Martha a renversé son assiette de ragoût et la petite Sarah s'est mise à pleurnicher, alors oncle James lui a fait faire le tour de la pièce dans ses bras en lui chantant une de ses chansons de taverne. Puis oncle Wilfred a commencé à raconter qu'il y aurait une partie de baseball à Kamloops au Jour de l'An, en l'honneur d'une éclipse de soleil, et personne n'a plus pensé à ce mariage.

Avant d'écrire mes nouvelles du jour dans ce carnet, je suis retournée en arrière pour lire ce que j'y avais écrit par le passé. Il m'est arrivé tant de choses que j'avais l'impression de lire un livre d'histoires au sujet d'une fillette prénommée Flore, qui s'est trouvé une famille, qui a travaillé dans une filature de laine et qui avait un chaton appelé Mungo. Une très petite fille.

Quand j'ai cherché la page de l'an dernier correspondant à aujourd'hui, j'ai découvert qu'il n'y avait pas d'entrée pour le 12 décembre et me suis souvenue pourquoi. C'était le jour où oncle James a eu ce terrible accident à la filature. Personne ne semble l'avoir noté. Tante Janet et lui s'en *sont* peut-être *souvenus*, mais ils n'en ont rien dit.

Quand je vois oncle James rassembler le bétail ou blaguer avec Olivier, j'ai du mal à imaginer l'homme pâle et en colère qu'il était devenu après l'accident (sa main a été broyée par une machine) à la filature.

Si mon cousin Henri était un peu plus sympathique, je pourrais en parler avec lui. Je sais que les garçons peuvent devenir de bons amis, comme Murdo. Mais Henri ne m'aime pas, et je ne sais pas pourquoi. J'essaie pourtant d'être gentille. Par moments, j'aimerais tant être avec Alice et Mary Ann, mes amies de l'orphelinat, ou n'importe quelle autre fille de mon âge!

13 décembre 1888

Je croyais que c'était dans mon imagination, mais maintenant j'en suis sûre : Henri n'est pas simplement antipathique, il me déteste. En ce moment à l'école, nous faisons des divisions avec un reste. Mlle McPhee a essayé de toutes les façons possibles d'expliquer à Henri comment les faire, et il ne comprend toujours pas. Au souper, oncle Wilfred nous a demandé comment s'était passée notre journée, et j'ai raconté à tout le monde que nous avions fait des divisions avec un reste et que je m'étais rappelé comment les faire, car j'avais aidé les garçons de l'orphelinat à les apprendre. Tante Janet a dit que, quand nous étions à Almonte, j'étais très bonne en comptabilité domestique et que je pouvais calculer si nous pouvions nous offrir du bacon. Puis oncle Wilfred a demandé à Henri comment ça allait pour lui, et il a dit qu'il détestait les divisions avec un reste et qu'il détestait l'école, puis il s'est sauvé dans la grange. Tante Nelly a dit qu'elle était nulle en calcul elle aussi et de le laisser tranquille, mais oncle Wilfred a dit que Henri devait réussir à l'école s'il voulait réussir dans la vie. Puis il m'a demandé de l'aider. Je me suis dit en moi-même que Henri se mettrait peut-être à me parler si nous faisions des divisions avec un reste ensemble, alors j'ai dit oui.

Oncle Wilfred est donc allé chercher Henri dans la grange, et tante Nelly a posé une lampe au bout de la table et a averti les petits de ne pas nous déranger. Puis j'ai eu une bonne idée. Du moins, je pensais que c'était une bonne idée. J'ai pensé à Olivier et à sa méthode pour faire traverser la rivière au bétail. J'ai essayé de raconter cette histoire aussi bien que lui. « Donc tu arrives au bord d'une rivière profonde, et il y a une seule barque. L'eau de la rivière est glaciale, et les bêtes ne veulent pas traverser. Alors, tu attrapes les veaux au lasso et tu les installes dans la barque. Les veaux meuglent pour retrouver leurs mères, et finalement le reste du troupeau entre dans l'eau. Les cowboys crient et font du bruit avec des boîtes de métal remplies de cailloux, et l'eau revole dans tous les sens. Alors, voici le problème : la barque ne peut prendre que sept veaux à la fois, et il y en a quatre-vingt-deux. Combien de traversées de sept veaux faut-il faire et combien de veaux reste-t-il pour la dernière traversée? » Ensuite j'ai écrit ces chiffres sous forme de division.

Henri a commencé par dire qu'il n'y a pas assez de place pour sept veaux dans une barque. Alors, j'ai dit qu'il devait *imaginer* une barque assez grande pour y faire tenir sept veaux ou qu'il pouvait changer pour cinq veaux par barque. Henri a fixé des yeux sa feuille de papier pendant un moment, puis a saisi mon poignet et, en le serrant très fort, m'a dit tout bas afin que personne n'entende : « Arrête de faire la maîtresse d'école. Arrête d'être si intelligente ». C'était comme s'il m'avait déclaré la guerre.

14 décembre 1888

Je suis découragée! Henri ne me regarde même plus. Je ne sais plus quoi faire.

15 décembre 1888

Je ne voulais pas embêter tante Janet, mais ce matin nous avons eu un petit moment à nous toutes seules. La famille est partie faire des achats à Kamloops. J'aime bien quand tante Janet donne le sein à Sarah, car cela signifie qu'elle arrête de se déplacer partout dans la maison. Je suis allée droit au but : « Pourquoi Henri me déteste-t-il? »

Je pensais que tante Janet allait me dire des choses d'adulte, comme : « Oh! Henri ne te déteste pas. D'où tiens-tu cela? » Mais non. Elle a l'air de penser que c'est vrai. Elle a juste dit : « Oh! Ma pauvre, je ne sais pas ». Puis elle m'a parlé d'une femme de l'atelier de tissage, à la filature, qui l'avait prise en grippe. « Elle me traitait comme la dernière des dernières, et je ne savais pas pourquoi. Finalement, j'ai décidé de faire comme si nous étions des amies. Parfois en faisant semblant qu'une chose est vraie, elle finit par le devenir. » J'ai demandé si cela avait marché, et elle a dit : « Nous ne sommes jamais devenues de très grandes amies, mais elle s'est rapprochée un peu de moi, en tout cas assez pour que nous soyons capables de travailler ensemble ».

Faire semblant qu'une chose est vraie, et elle finit par le devenir...

J'y ai réfléchi pendant un moment. Avant, je faisais

comme si les fées existaient pour de vrai, et elles ne sont jamais devenues réelles. Tante Janet a dû se faire une réflexion du même genre, car elle a ajouté : « Remarque que, pendant des années, je me suis imaginé que j'avais les cheveux noirs et bouclés et un teint d'albâtre, et la dernière fois que je me suis regardée dans un miroir, j'avais toujours les cheveux châtains et des taches de rousseur. Alors, ça ne marche pas à cent pour cent ».

Mais ça vaut quand même la peine d'essayer.

16 décembre 1888

Ce soir, oncle Wilfred a demandé comment allaient les leçons de divisions avec un reste que je donnais à Henri, et Henri a simplement dit : « Nous n'en faisons plus ». Il l'a dit d'un ton si agressif que même oncle Wilfred ne savait plus quoi dire.

17 décembre 1888

Gros bancs de neige fraîchement tombée ce matin. Les deux oncles discutent de ce que le troupeau va pouvoir manger. Oncle James pense qu'il faudrait apporter du foin aux bêtes, mais oncle Wilfred dit que les vaches sont capables de plonger leur museau dans la neige et manger les touffes d'herbe qui sont dessous. La réserve de foin est grosse comme une maison, mais oncle Wilfred dit qu'elle ne durera pas très longtemps. Une réserve de foin est comme un compte en banque : il ne faut pas y puiser sans réfléchir. Puis oncle James a dit que tous les enfants pouvaient aller dehors manger de l'herbe gelée, et Martha a dit qu'elle voulait essayer.

Mlle McPhee a cessé de faire la vraie classe. Aujourd'hui, nous avons fabriqué des cadeaux de Noël. Les filles ont fait de la couture, et les garçons ont travaillé du bois au couteau.

En rentrant de l'école, j'ai essayé de faire comme si Henri était mon ami. Voici de quoi je lui ai parlé :

1. Mes noms préférés pour des bébés : Katharina pour une fille et Alonzo pour un garçon. Henri n'a pas de noms préférés.

2. Est-ce mieux d'être sourd ou aveugle? Henri n'a pas d'opinion sur le sujet.

3. Allons-nous avoir un arbre de Noël? Henri dit que oui. Je suppose que cette réponse compte pour une conversation amicale, du moins de la part d'un ami qui ne parle pas beaucoup.

19 décembre 1888

Aujourd'hui Mlle McPhee a invité toutes les filles et leurs mères à prendre le thé samedi et à voir ses cadeaux de mariage. Elle loge chez le Dr Jenkins et sa femme, et Mme Jenkins va s'occuper du thé. Tante Nelly dit que la famille de Mlle McPhee vit très à l'aise en Ontario et que nous allons voir de jolies choses. Et puis Mme Jenkins est réputée pour ses petits pains aux raisins. J'ai très hâte de voir tout cela.

J'ai demandé à mon prétendu ami Henri s'il était déçu

que les hommes et les garçons ne soient pas invités pour le thé et s'il trouvait cela injuste et s'il aimait les petits pains aux raisins. Il a répondu : non, non et oui.

21 décembre 1888

C'était le dernier jour d'école avant Noël et notre dernier jour d'école avec Mlle McPhee. Nous n'avons pas eu de leçons du tout et avons terminé, les filles notre couture et les garçons leurs trucs en bois, tout en chantant des cantiques de Noël. Mlle McPhee nous a lu une longue histoire qui s'appelait « Le roi de la rivière aux merveilles ». C'était si captivant que même Martha, qui a toujours la bougeotte, est restée tranquille à écouter.

Ensuite Mlle McPhee nous a dit qu'elle savait que nous allions bien travailler avec la nouvelle maîtresse (on ne l'a pas encore trouvée) et que nous allions tous lui manquer beaucoup. Alors les filles ont pleuré, mais pas les garçons, et avant que nous ne devenions vraiment trop tristes, Mlle McPhee a dit qu'à partir de maintenant elle n'aurait plus à s'en faire avec les inspecteurs d'école et que nous allions pousser tous les bancs contre les murs afin de faire place aux jeux. Nous avons joué à chat perché, à l'épervier et à passe-ballon.

J'ai souvent lancé le ballon à mon « ami » Henri, mais lui ne me l'a jamais relancé. Nous étions dans l'école et nous n'étions pas obligés de rester sages, alors nous sommes devenus surexcités, criards et désordonnées.

Même Mlle McPhee : son chignon s'est défait et ça ne la dérangeait pas du tout! Finalement, nous nous sommes tous écrasés par terre et nous avons bu de l'eau. Puis Mlle McPhee nous a donné des bonbons et nous a renvoyés chez nous avant l'heure.

Sur le chemin du retour, Martha a mangé tous ses bonbons, un à un. Tout ce temps-là, j'ai fait durer un bonbon à la menthe et je vais garder les autres pour le jour de Noël. Henri n'a aucun plan, ni pour les manger tous, ni pour les faire durer.

22 décembre 1888

Dans *Le roi de la rivière aux merveilles*, il y a deux frères méchants. Ils sont cruels envers leurs domestiques, ne partagent pas avec les pauvres et gardent tout leur argent, tellement qu'il y a des monticules de pièces d'or partout dans leur maison. J'ai l'impression d'avoir vu une maison au trésor comme celle-là. Évidemment, Mlle McPhee n'est pas méchante, et ses cadeaux de mariage n'étaient pas empilés sur le plancher, mais joliment disposés sur la table de la salle à manger des Jenkins. J'ai quand même l'impression d'être entrée dans un monde merveilleux. Il y avait du linge (draps, taies d'oreillers et mouchoirs), un grand tableau représentant l'océan dans un cadre à dorures, une écritoire de cuir vert forêt, pour ranger les plumes et le papier, un édredon en satin rouge, un service à thé en porcelaine de Chine, des lampes, des vases, une pendule à poser sur le manteau de cheminée et une fabuleuse quantité d'argenterie : couteaux, fourchettes et cuillères, corbeille à pain, tasses et soucoupes, beurrier et aussi un nécessaire à coiffure, avec le peigne, la brosse et le miroir à main. M. Sutherland lui a offert une montre en or qu'on porte agrafée au corsage.

Chaque objet avait son histoire et suscitait l'admiration et les discussions. Nous avons tout appris à propos de la famille ontarienne de Mlle McPhee. Sa mère est triste qu'elle ait décidé de s'établir dans l'Ouest. « Elle craint que cette région ne soit pas civilisée! a dit Mlle McPhee. Mais maintenant, je suis une Britanno-colombienne! » J'ai alors repensé à Mlle McPhee dans la salle de classe hier, en train de lancer la balle avec son chignon défait, et je me suis demandé ce que signifiait « civilisé ». Ce serait merveilleux d'avoir une maison remplie d'argenterie et une petite montre en or pour regarder l'heure, mais je ne crois pas que les femmes mariées, même en Colombie-Britannique, ont souvent l'occasion de jouer à l'épervier.

Les petits pains aux raisins étaient divins!

23 décembre 1888

Grosse tempête de neige la nuit dernière. Je me suis réveillée en pleine nuit parce que quelque chose cognait contre le mur de la maison et, une fois réveillée, je me suis mise à penser que je voulais absolument donner un cadeau de mariage à Mlle McPhee. Je pourrais lui crocheter un napperon ou deux, si on ne me donne pas trop de tâches avant Noël. Puis j'ai repensé à tout le linge, l'argenterie et les jolies choses achetées dans les magasins, et j'étais découragée. Je ne suis pas fantastique au crochet, et un napperon, même deux, aurait l'air de pas grand-chose. Je suis meilleure au tricot, mais un béret ou un cache-nez feraient bizarre pour un cadeau de mariage, même si j'ai le temps de le faire. Et puis je n'ai pas l'argent qu'il faut pour acheter quelque chose de splendide.

J'aurais pu demander à tante Janet ou tante Nelly si elles avaient des idées, mais elles sont complètement accaparées par la cuisine et le ménage, en prévision de Noël. Alors, j'ai exposé mon problème à mon futur ami Henri. Il travaillait un bout de bois avec son canif et n'a pas eu l'air de me prêter attention.

26 décembre 1888

« Douce nuit, sainte nuit, Dans le ciel l'astre luit. » Hier nous avons chanté ce cantique, mais il ne s'applique pas très bien au style des Noëls sur le ranch des Duncan, qui sont plutôt bruyants. Deux des cadeaux étaient destinés à tous les enfants collectivement. Le premier était un chiot. Oncle James l'a ramené de la grange très tôt le matin. Il est petit, rondouillet, brun et blanc, avec de grosses pattes et de grandes oreilles. Parfois il marche sur ses oreilles, d'autres fois il se marche sur les pattes, et il adore aboyer. L'autre cadeau était un petit chariot qu'oncle Wilfred a fabriqué. Les petits ont fait le cheval à tour de rôle, en tirant les autres qui étaient dedans jusqu'à ce que le chariot verse et que tout ce petit monde se retrouve par terre. Entre ces deux grandes séances de grabuge, il y a eu Martha qui jouait de sa nouvelle flûte irlandaise (qui la lui a offerte, personne n'a voulu l'avouer), Sarah qui pleurait (elle est trop petite pour que Noël lui fasse plaisir) et tante Nelly qui chantait.

Il y avait aussi un autre bruit que je faisais pour la première fois. J'ai reçu le plus somptueux de tous les cadeaux. Tante Nelly m'a offert sa mandoline. « Je n'ai plus le temps d'en jouer, et c'est dommage de laisser un instrument dormir. » Je n'ai jamais rien possédé de tel : un vrai instrument d'adulte, absolument magnifique! Elle est faite de trois essences de bois, avec des chevilles en ivoire et des incrustations de nacre. Elle vient avec un étui dans lequel elle loge parfaitement. Tante Nelly a dit qu'elle allait m'apprendre à en jouer. « Quand les petits auront grandi, nous pourrons former un orchestre avec eux. »

Le jour de Noël, j'ai appris à faire l'accord de ré majeur et j'ai pu jouer une petite comptine. Aujourd'hui j'ai appris l'accord de sol majeur. Demain j'apprendrai l'accord de la majeur, et tante Nelly dit qu'avec ces trois accords je pourrai jouer des centaines de chansons.

Je ne veux plus rien faire d'autre que jouer de la mandoline, tous les jours et à longueur de journée. (Et manger du pain d'épice, qui doit être ce qu'il y a de meilleur au monde, après les petits pains aux raisins.)

Aujourd'hui il y a eu une autre grosse surprise. Henri m'a adressé la parole; pas en réponse à une question que je lui aurais posée, mais de lui-même. Il a dit qu'il avait une idée pour le cadeau de mariage de Mlle McPhee. Mais il ne voulait pas me dire quoi. Je lui ai rappelé que nous n'avions plus qu'une seule journée et lui ai demandé s'il y avait quelque chose à faire, et il a dit que non. Puis je lui ai demandé s'il fallait aller au magasin général pour acheter quelque chose, et il a encore dit que non. Quel genre de cadeau ne s'achète pas et ne se fabrique pas non plus? Un vrai mystère!

27 décembre 1888

J'ai mal au bout des doigts à force de jouer de la mandoline, mais tante Nelly dit qu'ils vont s'endurcir. J'ai commencé un nouveau morceau, un peu plus compliqué.

Henri est toujours aussi mystérieux à propos du cadeau de Mlle McPhee mais je sais qu'il trame quelque chose. Je l'ai aperçu qui chuchotait à l'oreille des deux oncles et d'Olivier, et tous trois ont souri.

Je n'ai pas découvert le secret du cadeau, mais j'ai trouvé celui d'Henri : il n'aime pas qu'on lui offre de l'aide, mais il aime bien offrir son aide à autrui.

29 décembre 1888

Les mariages sont merveilleux! Je me suis rappelé la fausse cérémonie de mariage à la filature, l'an dernier, quand tous les hommes s'étaient habillés en femmes et que j'ai fait le pasteur. À l'opposé, ce mariage-ci n'avait rien de loufoque, sauf à la toute fin, quand le voile a été levé sur notre mystérieux cadeau.

Quand les nouveaux mariés sont sortis de l'église, la voiture les attendait. Elle était décorée de rubans, les chevaux étaient tout bien arrangés et les harnais reluisaient, bien propres et bien graissés. M. Sutherland a pris Mme Sutherland (*Mme Sutherland!*) dans ses bras et l'a déposée dans la voiture. Puis Henri et Joe David sont arrivés et ont dételé les chevaux.

J'ai d'abord cru qu'Henri et Joe David avaient décidé de faire une bêtise, mais les deux oncles se sont mis à rire et les ont aidés. Puis oncle James a emmené les chevaux, et les garçons ont saisi les traits et se sont mis à tirer. La voiture n'a pas bougé tout de suite, alors Henri m'a appelée : « Flore, viens nous donner un coup de main! » J'ai regardé tante Janet, et elle m'a fait signe que oui. Alors je me suis mise à pousser sur la voiture, et elle s'est mise en branle. Il y a eu un tonnerre d'applaudissements, suivi d'une pluie de grains de riz et de vieilles chaussures. Puis il s'est mis à neigeoter. Henri n'arrêtait pas de regarder derrière lui pour me lancer des sourires. Nous avons tiré la voiture jusqu'à la nouvelle maison. M. Sutherland riait, et Mme Sutherland riait et pleurait, et elle a dit que c'était le plus beau de tous ses cadeaux de mariage.

Ce soir, nous n'arrêtions pas de parler du mariage. Nous étions censées faire de la couture, mais nous n'avons pas beaucoup avancé nos morceaux. Tante Nelly nous a expliqué que de conduire les nouveaux mariés chez eux dans une voiture tirée par des gens est une marque d'estime de la part d'une collectivité.

« C'était une idée formidable, Henri, a-t-elle dit. Comment t'est-elle venue? »

« C'est à cause de la voiture d'enfant de papa, a dit Henri. Tirée par des gens. Mais c'est Flore, la première qui a eu l'idée de leur offrir un cadeau. »

« Ah! Flore, a dit oncle James. Le coup de main qu'elle vous a donné a fait toute la différence. »

« Oui, a dit Henri. Flore fait un bon *cayuse*. »

J'avais envie de lui donner un coup de doigt sur la tête, avec mon dé à coudre, mais je me réserve ce plaisir pour une autre fois.

Les petits dorment maintenant, et la maison est si silencieuse que je peux entendre les craquements du feu qui brûle dans la cheminée et les ronflements du chiot dans son panier.

« Avec le jour tombe le lourd fardeau des peines », comme dirait le poète Longfellow, et le *cayuse* que je suis va aller se coucher.

Jenna Sinclair

Au fil de l'eau

au temps des forts de la Compagnie
de la Baie d'Hudson

Fort Victoria, île de Vancouver
31 août 1849 - 2 mai 1851

JULIE LAWSON

Après avoir grandi dans l'effervescence de Fort Edmonton, dans les Prairies, Jenna a trouvé difficile de se plier aux règles plus strictes de Fort Victoria, où l'on est beaucoup plus « civilisé ». Malgré tous ses nouveaux amis et ses nouveaux liens familiaux, elle continue de chérir son monde imaginaire, peuplé de bons et de méchants. L'aventure est toujours prête à jaillir dans la tête de Jenna et va parfois même jusqu'à déborder dans sa vraie vie.

Les Jours fous de Noël

Jeudi 23 décembre 1852

Les Jours fous de Noël arrivent! Notre oie la plus grasse est suspendue dans le garde-manger à côté d'un cuissot de chevreuil, et nos invitations pour le souper de Noël ont été envoyées. Pour la première fois de ma vie, je vais célébrer Noël dans une vraie maison, et pas dans un fort de la Compagnie de la Baie d'Hudson.

Dans les forts, nous avions un souper spécial pour Noël et aussi congé pour la journée. Mais nous gardions les festivités pour Hogmanay. Oncle Rory a décidé que, maintenant qu'il est devenu un colon indépendant et qu'il a pris sa retraite de la Compagnie de la Baie d'Hudson, nous pouvons célébrer Noël *ET* Hogmanay.

J'ai hâte au minuit de Hogmanay. Je me demande qui sera notre premier visiteur de la nouvelle année. Tante Grâce dit que la première personne qui franchit notre seuil (nous en avons un, maintenant!) doit avoir les cheveux foncés, sinon c'est mauvais signe. C'est aussi mauvais signe si ce premier visiteur se présente les mains vides. Il doit apporter un présent. En Écosse, ce sont généralement des petits sablés, du whisky et un morceau de charbon, et le premier visiteur dit : *Lang may yer lum reek*, ce qui signifie « Puisse votre cheminée fumer longtemps ». Ma tante dit que c'est une façon de souhaiter une bonne année à toute la maisonnée, avec tout ce qu'il faut pour manger, boire et se chauffer avec un bon feu. Du plus loin que je me souvienne, les jours entre Noël et Hogmanay s'appellent les Jours fous. Je pensais que ça voulait dire « farfelus » à cause de toutes les pitreries qui se faisaient dans les forts, mais mon oncle m'a expliqué que ça veut plutôt dire « gais, joyeux, très animés ».

Même la petite Annie s'est laissé prendre à cette folie, bien qu'il ne faut pas grand-chose pour la faire rire. Ces jours-ci, son jeu préféré est de sauter sur mes genoux tandis que je lui chante des comptines et de me *corriger* quand je me trompe. (Et je fais exprès de me tromper pour la faire rire.) Quand je chante « Les Jours fous arrivent, et Annie est bien dodue », elle crie : « Non! » Puis dans son langage de bébé, elle dit quelque chose qui ressemble à « *Noël* arrive, et notre *oie* est bien dodue ». Elle est très avancée pour ses 19 mois.

La semaine dernière, elle m'a aidée à installer notre crèche. Elle a placé l'Enfant Jésus dans l'auge avec une grande délicatesse, et plus tard, quand j'ai voulu la consoler d'une chute et que j'ai retiré l'Enfant Jésus de son auge pour mettre un bœuf à la place, elle s'est fâchée et m'a crié « Non! » en me tapant sur la main!

Elle adore entendre l'histoire de la Nativité et montrer du doigt en même temps Marie et Joseph, les bergers, les anges, les trois Rois mages et même l'étoile de Bethléem (que j'ai découpée dans de la tôle et accrochée au toit de la crèche). Elle sait même dire les noms des Rois mages!

Nos préparatifs pour les Jours fous ont commencé il y a plus d'un an, quand ma tante a décidé qu'elle voulait préparer un plum pouding pour le Noël de l'année *suivante*. Heureusement, elle avait pris cette décision avant que le bateau pour l'Angleterre quitte Victoria, car elle devait commander les fruits confits et les raisins secs à Londres. Ils sont arrivés avec la cargaison du printemps et ont été mis de côté jusqu'au 21 novembre, qui était le dimanche avant l'Avent. On l'appelle le « Stir-up Sunday » parce que la prière du jour commence par : *Stir-up, we beseech thee, O Lord, the wills of thy faithfull people* (Éclaire la volonté de tes fidèles, nous t'en supplions, ô mon Dieu!) et qu'on répète cette phrase en brassant le plum pouding à tour de rôle.

La partie la plus intéressante, c'est quand on brasse et qu'on doit faire un vœu. Chacun à notre tour, même mon oncle et Annie, nous avons brassé d'est en ouest, ce qui représente la direction prise par les Rois mages dans leur périple. Annie a souhaité avoir du pouding!

Ensuite, on a enfoui dans la pâte une pièce en argent (gage de bonne chance pour celui ou celle qui la trouveront) et un bouton (gage de malheur si c'est un homme qui le trouve, car il sera condamné à ne jamais se marier). Enfin, on a emballé la pâte dans un linge et on l'a fait bouillir. Notre plum pouding est maintenant rangé dans le garde-manger en attendant Noël.

Ma surprise pour la famille est « rangée » dans les bois, mais seulement jusqu'à demain. Je prie pour qu'il ne neige pas pendant la nuit, sinon je vais avoir de la difficulté à retrouver l'endroit exact!

Aujourd'hui, je suis allée chercher des branches de sapin à accrocher au-dessus des fenêtres et du manteau de la cheminée. Mon oncle avait commandé une boîte de canneberges à Fort Langley, et je les ai enfilées pour faire des guirlandes à accrocher à mes branches de sapin.

J'entends la bouilloire qui siffle : c'est l'heure du déjeuner.

Vendredi 24 décembre

J'ai passé tout l'avant-midi à bûcher, scier, transporter et clouer. Tout ça à toute vitesse afin de préparer ma surprise pendant que les autres étaient sortis.

D'abord, je suis partie dans la forêt pour y couper un arbre : un petit sapin que j'ai choisi il y a plusieurs semaines.

Ensuite, je l'ai transporté jusqu'à la grange et l'ai caché derrière des balles de foin.

Mais comment faire tenir ce sapin debout? On ne peut pas juste l'appuyer contre le mur, dans un coin. Il lui faut un pied.

Je suis donc repartie dans la remise à bois. J'ai choisi une grosse planche et l'ai sciée en deux.

Puis je suis allée chercher des clous et un marteau dans l'atelier de mon oncle et j'ai cloué les deux planches en formant une croix. Je me suis souvent tapé le pouce en ratant mon clou. Ensuite, j'ai planté des clous au centre de cette croix, en formant un cercle.

Est-ce que ça allait marcher? N'aurais-je pas dû commencer par mesurer la largeur du tronc à sa base?

J'ai posé mon bricolage par terre, à côté du sapin et TA DAM! il était parfait!

Finalement, j'aurais pu prendre mon temps, car mon oncle et ma tante ont été retardés, et je les ai attendus pendant une heure.

Noël à la ferme Shady Creek

Il est neuf heures du soir, et je peux enfin faire le récit des événements de la journée.

Pour commencer, je suis sortie en cachette à deux heures du matin pour aller chercher mon sapin. Mon plan était de l'installer dans le salon et de le décorer avant que toute la maisonnée ne se réveille. J'avais fini d'accrocher mes petites étoiles de tôle et j'étais en train de réfléchir à la façon de faire tenir les bougies sur les branches quand mon oncle Rory est arrivé avec un petit cheval de bois qu'il avait fabriqué pour Annie. Nous avons pris le temps d'admirer notre travail et nous nous sommes dit que nous savions bien garder les secrets.

Je suis retournée me coucher sans avoir trouvé de solution à mon problème. Quand je me suis relevée, quelques heures plus tard, qu'est-ce que j'ai découvert? Mon sapin était tout illuminé avec des bougies! Ma tante Grâce et Annie étaient avec moi, et toutes les trois nous étions béates d'admiration.

Mon cher oncle Rory! Après mon départ, il était allé dans son atelier et avait fabriqué des petits bougeoirs en tôle pour mes bougies. Puis il les avait installés sur les branches du sapin et, finalement, ma surprise pour toute la famille en était devenue une pour moi aussi.

Quand ma tante m'a demandé d'où m'était venue cette idée de faire un arbre de Noël, j'ai répondu : « C'est la reine Victoria ».

Comme elle ne me croyait pas, je lui ai dit que j'avais vu dans le journal de Londres une illustration représentant la famille royale rassemblée autour d'un sapin. « Le prince Albert a apporté en Angleterre cette coutume de son pays natal, l'Allemagne », lui ai-je expliqué, l'air de celle qui sait tout. C'est Lucie qui avait trouvé cette illustration à l'école l'an dernier, tandis que nous étions occupées à feuilleter les journaux arrivés par le bateau venu d'Angleterre.

Vers deux heures de l'après-midi, nos invités de Noël sont arrivés, tout bien endimanchés. Pour qu'il y ait assez de place pour tout le monde, mon oncle avait rallongé notre table en plaçant des panneaux sur des tréteaux, recouverts de nappes. Personne n'a critiqué la différence de hauteur des deux parties de cette table. Des bancs et des caissons en bois ont servi de chaises supplémentaires. Et puis quel festin! Un énorme cuissot de chevreuil rôti à point et deux oies sauvages (dont une apportée par les Sullivan), une montagne de patates, oignons, carottes et navets, du pain de Mme Sullivan (cuit le matin même), du beurre fermier venant d'Esquimalt Farm et de grandes carafes remplies du vin de mûres que fabrique M. MacLeod. Tout le monde était d'humeur à blaguer, passant le poivre quand on demandait le sel, ou de la gelée de canneberges à la place du beurre.

Et le plum pouding! Ma tante l'a arrosé de rhum, l'a fait flamber et l'a apporté à la table sous un tonnerre d'applaudissements et de félicitations. Mme Sullivan a trouvé la pièce d'argent, et M. MacLeod, qui est vieux garçon, a eu le bouton. « Oh Jenna! a-t-il dit d'un ton taquin. Et moi qui entretiens toujours quelque espoir à ton sujet! »

Après avoir terminé notre dessert, nous avons levé nos verres pour boire à la santé de « nos amis absents ». Les larmes me sont montées aux yeux en pensant à papa et Nokoum qui me regardent du haut du Ciel. J'ai aussi pensé à Suzanne, qui est là-bas à Fort Edmonton. Oh! Comme elle me manque! Après le souper, les tables et le reste ont été enlevés, et M. MacLeod a sorti son violon. Nous avons joué aux charades et à colin-maillard. Nous avons aussi dansé plusieurs reels au rythme endiablé. Ma tante avait préparé un punch au vin chaud, et nous avons tous bien ri pendant encore quelques heures.

Maintenant je ferais mieux de m'endormir. Mon oncle veut que nous assistions à la messe du révérend Staines demain, alors nous devons partir pour Fort Victoria très tôt le matin. Je ne suis pas particulièrement emballée par cet office religieux, mais j'ai tellement hâte de revoir Lucie, Sarah et mes autres amis de l'école, même Le Radis!

Dimanche 26 décembre

J'écris ces lignes sur une feuille que Le Radis a arrachée de son journal intime. (Je devrais dire *Édouard,* car il ne veut plus que je l'appelle par son surnom.) Le *Radis* écrit son journal : incroyable, non? C'est aussi inattendu que la neige.

Oui, oui! LA NEIGE.

Elle s'est mise à tomber ce matin pendant l'office du révérend Staines, et l'après-midi il y en avait au moins deux pieds. Alors me voilà coincée à Fort Victoria, à m'amuser comme une folle avec mes anciens camarades de classe.

Mon oncle et moi sommes partis très tôt ce matin, tout de suite après avoir attelé Dickens à la voiture. Il a fallu pas mal de temps avant d'arriver à Fort Victoria, à cause de tous les gens que nous avons croisés en chemin, avec qui nous avons piqué un brin de jasette. Nous sommes tout de même arrivés à temps pour l'office. Ce n'était pas trop ennuyeux, car je pouvais regarder la neige qui tombait par la fenêtre.

À midi, elle tombait si fort qu'on ne voyait même plus les bastions du fort! Mon oncle voulait aller retrouver ma tante Grâce au plus vite parce que ce matin, elle se sentait fatiguée après la journée d'hier, et Annie aussi. Mais la neige était si épaisse que les roues de la voiture se bloquaient sans cesse. Finalement, il a décidé de s'y rendre à dos de cheval avec Dickens et de me laisser au fort, en promettant de revenir me chercher quand le chemin serait redevenu praticable. Nous pourrions alors charger la voiture de provisions et rentrer à la maison. Je lui ai dit de ne pas se presser pour moi, car j'étais très contente de rester avec mes amis.

Après son départ, j'ai passé le reste de la journée à m'amuser dans la neige, puis à papoter dans le dortoir. Lucie et Sarah attendent avec autant d'impatience que moi la veillée du Jour de l'An chez les Langford, pas seulement parce que les Langford organisent toujours des fêtes magnifiques, mais aussi parce qu'ils invitent toujours les officiers et les aspirants officiers de tous les navires qui mouillent dans le port. (En ce moment, il y a le HMS *Thetis*, que j'ai vu entrer dans la rade d'Esquimalt Farm.) Nous avons essayé d'imaginer laquelle d'entre nous trouverait peut-être mari pendant cette soirée, et Lucie a dit : « Sûrement pas Jenna. Elle est aussi capricieuse que sa tante Grâce quand il s'agit de se choisir un mari. » Je lui ai rappelé que j'avais seulement quinze ans, même si c'est à peine trop jeune pour se marier, mais la vérité c'est qu'elle a parfaitement raison!

Puis nous en sommes venues à parler du Radis. (Je suis trop habituée à l'appeler ainsi, alors je ne vais pas changer pour Édouard.) Lucie m'a dit qu'il écrivait des histoires dans son journal intime et que je devrais lui demander de me les lire. « Il va sûrement accepter, a-t-elle dit. On sait toutes qu'il t'adore! »

J'ai pouffé de rire, car le Radis a seulement *neuf ans,* mais Sarah et Lucie m'ont assuré que c'était vrai, et toutes les trois nous avons continué à nous remémorer des moments cocasses. Il y avait la fois où il me suivait tout le temps parce que les garçons avaient décidé de l'embêter. Il y avait ses histoires dont l'héroïne s'appelait invariablement *Jenna.* Il y avait aussi la fois où il s'était excusé de son retard à Mme Staines en employant des mots un peu trop pompeux, tirés d'une histoire que j'avais moi-même écrite.

Est-ce qu'il me voit comme sa grande sœur ou comme sa mère? Nous nous le demandons. Est-ce qu'il s'imagine devenir un jour mon mari? Et encore bien d'autres idées farfelues.

Au bout d'un moment, consciente de notre mesquinerie, nous avons changé de sujet de conversation. Le Radis est seul, sa famille lui manque, et il veut se faire des amis. C'est tout à fait normal, et nous le comprenons.

D'autres souvenirs me reviennent à la mémoire,

surtout de ma première année à l'école Staines. Il y a eu la fois où j'en ai fait le héros de mon histoire à donner la chair de poule, en lui donnant son nom au complet : Édouard Radisson Lewis. Il avait le regard rivé sur moi, tandis que je lisais. Était-ce de l'*adoration*? Sur le coup, je me suis juste dit qu'il devait aimer mon *histoire*. Et que dire de son journal intime? Pendant les deux années où je l'ai côtoyé, il a toujours *détesté* l'écriture, l'orthographe et la grammaire, bref tout. Mais Lucie avait raison : il était très excité de me montrer son journal. Toutefois, il y écrit des histoires inventées, plutôt que de consigner les événements quotidiens. Parce que sinon, dit-il, toutes les pages seraient remplies de « Je déteste l'école ». Sans doute, lui ai-je répondu, mais l'école lui fait quand même du bien, car il a fait des progrès remarquables.

Il m'a lu une de ses histoires, où il est question d'un riche trappeur d'animaux à fourrure qui bat ses enfants si fort et si souvent qu'un soir, le plus jeune décide de s'enfuir. Il part en canot, mais une tempête se lève, le canot se remplit d'eau, etc. Son récit était captivant, plein d'aventures, et je le lui ai dit.

« C'est toi qui m'as appris, a-t-il dit, en me rappelant des histoires que j'ai déjà écrites (ou racontées). C'est plutôt ennuyeux ici, depuis que tu es partie. »

« D'après ce que j'ai entendu de ton histoire, tu as pris ma relève », ai-je dit.

Un sourire a éclairé son visage.

Je dois m'arrêter et me préparer à aller dormir. Il n'y a

pas un seul lit de libre dans le dortoir, alors je dois partager celui de Lucie. Ainsi, nous pourrons placoter toute la nuit en chuchotant.

Lundi 27 décembre
Avant le déjeuner

Quelle nuit! Les lits du dortoir sont à peine assez grands pour une *seule* personne, alors pour deux...! En plus, Lucie n'arrêtait pas de me donner des coups de pied ou de coude, de se tourner et se retourner, de tirer sur la couverture, de ronfler! Je l'aurais étranglée!

Je ne crois pas que mon oncle va revenir aujourd'hui. La neige a cessé de tomber, mais il y en a encore trop sur le chemin pour que la voiture puisse passer.

Après le déjeuner

C'est la folie dans le fort! Cécilia Douglas doit épouser le docteur Helmcken ce matin, mais elle est encore chez elle de l'autre côté de la baie alors que lui est *ici!* Le mariage *doit* absolument avoir lieu avant midi (parce que c'est la loi). La neige empêche la voiture qui l'amène d'avancer!

Plus tard

Il est midi cinq, et le mariage a eu lieu à temps grâce à l'astuce d'un Canadien-français qui a cessé de vouloir faire avancer la voiture et a fabriqué un traîneau avec un caisson à marchandises. Il a coupé le dessus et un des côtés, a déposé un coussin au fond et l'a recouvert d'une pièce de tissu rouge. Puis avec du saule, il a fabriqué une barre et des patins. Il a posé le caisson sur les patins et attelé le cheval à la barre, puis il est parti chercher la mariée.

Oh là là! On peut vraiment dire qu'il était moins cinq! Onze heures... onze heures et demie... À midi moins le quart, Lucie et moi avons jeté un coup d'œil dans la salle et avons vu un homme en train d'essayer de reculer l'heure! (Mais il s'est fait attraper par Mme Staines.)

Il ne restait plus que dix minutes avant midi quand nous avons entendu tinter les clochettes du traîneau, et les mariés sont arrivés. Ils se sont précipités dans la salle, et la cérémonie a enfin commencé. Je jure que le révérend Staines n'a jamais parlé aussi vite de toute sa vie. Le Dr Helmcken a passé l'alliance au doigt de Cécilia au moment même où l'horloge sonnait midi.

Quel concert de cris de joie! Tout le monde dans l'enceinte du fort criait « Hourra! » en chemin pour aller célébrer l'événement chez le gouverneur Douglas. Les canons tiraient depuis les bastions, la cloche du fort sonnait à toute volée, les hommes tiraient des coups de mousquet en l'air, et tous les chiens à deux kilomètres à la ronde aboyaient comme des fous (comme d'habitude).

En début d'après-midi

J'ai encore la tête qui tourne de toute l'excitation des 24 dernières heures. Maintenant que j'ai eu mon souper, je vais rentrer à pied chez nous. Je rencontrerai peut-être mon oncle en route. *Il* est bien capable d'avoir inventé un nouveau modèle de traîneau! À vrai dire, je n'ai pas trop envie de passer une autre nuit blanche. Je vais donc faire mes salutations, et adieu la compagnie! Il me reste trois bonnes heures avant la noirceur.

Mardi 28 décembre
Au milieu de l'après-midi

Me voici de retour dans *mon* cher Journal. J'y ai collé le récit de mes journées « Coincée dans le fort ». Maintenant, la suite.

Je suis arrivée à la maison seulement ce matin, car le trajet s'est avéré plein de surprises. Ma tante et mon oncle n'étaient pas très contents que je n'aie pas attendu mon oncle, et encore moins contents que je sois passée par le sentier. « Mais à quoi as-tu pensé? a dit mon oncle. Et si *j'étais allé* te chercher et que je ne t'avais pas croisée en chemin, pour apprendre ensuite que tu avais quitté le fort? »

Après avoir demandé pardon et admis que j'avais agi sans réfléchir, je leur ai raconté mon aventure. Je leur ai expliqué que, après avoir traversé le petit canyon, j'étais fatiguée de m'enfoncer dans la neige (le chemin n'avait pratiquement pas été piétiné) et j'ai pensé que ce serait plus facile par le sentier. Comme il est tout bordé d'arbres, je me suis dit que les branches auraient empêché une bonne quantité de neige de se rendre jusqu'au sol. J'ai aussi pensé à mon oncle qui allait être très inquiet. Mais comme le chemin était impraticable en voiture (je n'ai pas vu une seule trace de roue), j'ai pensé qu'il n'était probablement pas parti pour Victoria, surtout qu'il était déjà tard dans la journée et qu'il n'aurait sûrement pas décidé de faire le trajet en sachant très bien qu'il reviendrait sans la voiture ni les approvisionnements.

Peu après avoir quitté le chemin, je me suis sentie suivie. J'avais des picotements dans la nuque, et mon cœur s'est mis à battre plus vite. J'entendais des soupirs et des gémissements, des bruits sourds venant du sol et des bruissements en haut dans les branches. Pourtant, il n'y avait pas de vent. Je n'arrêtais pas de me retourner. J'ai même demandé s'il y avait quelqu'un, mais on ne m'a pas répondu.

Je me suis dit que ce devait être un chevreuil ou un oiseau. Et si c'était une panthère? Ou un assassin? Parce que j'ai pensé qu'il était encore en liberté, celui qui avait tué un berger de la Compagnie en novembre dernier.

Les ombres s'allongeaient sur le sol, et j'avais de plus en plus peur. J'étais perdue, et on me suivait toujours. J'essayais de presser le pas, mais je n'arrêtais pas de trébucher et de tomber. Je m'attendais à tout moment à me faire attaquer. La peur au ventre, je continuais de marcher.

Une fois la nuit tombée, je crois que je me suis mise à délirer, car quand j'ai aperçu des lueurs au loin, j'ai cru que c'était une compagnie d'anges descendus du Ciel pour venir m'aider à retrouver mon chemin jusque chez nous. Je leur chantais un cantique quand un visage...

Oh! Annie réclame qu'on s'occupe d'elle. La suite à plus tard.

Plus tard

« L'ange » était nul autre que M. Langford! À force de tomber et de me relever, je m'étais mise à tourner en rond et m'étais retrouvée tout près de chez lui. Il avait entendu des cris de détresse (il me semblait bien que je chantais!). Il était donc sorti et m'avait trouvée étendue dans la neige. Il m'a portée jusqu'à l'intérieur. Mme Langford et les filles m'ont prêté des vêtements secs et m'ont fait boire du thé et du bouillon de bœuf pour me réchauffer.

Une fois réconfortée d'avoir mangé, je leur ai raconté que je devais rentrer chez nous, mais ils n'ont pas voulu me laisser repartir.

Il était presque onze heure du soir, je tombais de sommeil, et Mme Langford voulait absolument que je reste pour la nuit. « Pas question de déranger ta tante et ton oncle à une heure pareille, a-t-elle dit. Surtout qu'ils ne s'attendent pas à te voir arriver. »

Ce matin après le déjeuner, M. Langford m'a prêté un

cheval pour rentrer à la maison, et Marie et Emma m'ont accompagnée. J'avais bien dormi, j'étais de très bonne humeur et je leur parlais de tout et de rien, mais surtout de leur soirée du jour de l'An. Nous avions tant de plaisir que l'idée d'être suivie ne m'est pas venue une seule seconde à l'esprit. À vrai dire, j'en suis venue à penser que, l'autre nuit, la fatigue et la tension m'ont fait imaginer des choses.

Mercredi 29 novembre

Quelle surprise! J'ai emmené Annie à la grange pour donner une carotte à Dickens, et qu'est-ce que j'ai découvert? Le Radis! Enroulé dans une couverture pour cheval, et profondément endormi dans le foin. Sauf qu'il remuait le nez comme un lapin, à cause de la paille. J'ai failli éclater de rire.

Et là, Annie regardait la scène et, croyant que c'était une version en grandeur nature de notre crèche, elle s'est écriée : « Le petit Jésus! »

« Chut! Tu vas le réveiller! » lui ai-je chuchoté à l'oreille, car je ne voulais pas que ma tante sache que Le Radis était ici avant d'avoir décidé ce que je devais faire. C'est un secret! »

« Chut! » Elle a souri, ravie de partager ce secret avec moi, et nous sommes reparties sur la pointe des pieds.

En rentrant à la maison, elle a pris ma tante par la main et s'est mise à lui parler du petit Jésus qui dormait dans notre foin. Tout un secret! Mais ma tante a cru qu'Annie voulait se faire raconter l'histoire de la Nativité. Elle l'a donc emmenée devant notre crèche et s'est pliée à son désir, me laissant ainsi la liberté de prendre des couvertures et de quoi manger, et d'emporter le tout dans la grange.

« Le Radis! ai-je dit en le secouant pour le réveiller. Qu'est-ce que tu *fais* ici? »

Il lui a fallu quelques secondes pour reprendre ses esprits. Puis il m'a reconnue et a marmonné : « Je t'ai suivie! »

« C'était donc *toi?* »

Je crois que je l'ai dit d'un ton assez dur, mais j'ai refusé de me laisser attendrir par ses larmes. « Te rends-tu compte à quel point j'ai eu peur? Je croyais que c'était un assassin! » Et je lui ai demandé de s'expliquer.

Finalement, il s'avère que l'histoire qu'il a racontée dans son journal est la pure vérité : son père le bat, il s'est enfui, etc. D'un jour à l'autre, son père allait arriver à Fort Victoria pour le ramener chez eux à Fort Simpson, où de nouveau il allait subir la « cruelle fureur » de la ceinture de cuir de son père. Aussi, quand il m'a vue quitter le fort, il m'a suivie, puis a dormi hier soir dans l'écurie des Langford et a fini par aboutir ici.

Je lui ai fait remarquer que son père ne pouvait pas être *si* cruel, puisqu'il l'avait envoyé à l'école pour qu'il s'instruise. Le Radis m'a alors dit que l'école, c'était grâce à sa mère : elle avait décidé de l'y envoyer pour l'éloigner de son père afin de le protéger.

Ma colère avait laissé place à de la sympathie pour lui. Je lui ai dit qu'il avait été courageux de s'enfuir, mais qu'il ne pouvait pas rester éternellement caché dans notre grange. Ma tante et mon oncle devaient être mis au courant, *et* les habitants du fort aussi, car ils seraient inquiets et partiraient à sa recherche. Il a pleuré encore un peu, pour finir par admettre que j'avais raison.

Je l'ai donc dit à ma tante et mon oncle, et ce dernier s'est rendu dans la grange pour ramener Le Radis avant qu'il ne gèle tout rond. Je me rends compte maintenant que je suis pour quelque chose dans sa fugue. La « cruelle fureur » de la ceinture de cuir de son père est une expression que *j'ai* utilisée dans une de mes histoires. J'y parlais d'un jeune garçon qui s'était enfui d'une horrible école afin d'échapper à la « fureur cruelle et acharnée de la ceinture de cuir du maître d'école ». Je l'avais écrite exprès pour Le Radis (il était malheureux à faire pitié, à ce moment-là) et il avait tant aimé mon histoire qu'il s'était exercé à la lire jusqu'à en prononcer tous les mots correctement.

Plus tard

Le Radis faisait pitié à voir, une fois arrivé dans la maison. Il avait les yeux rouges et cernés à force de pleurer, et des brins de foin partout dans les cheveux, les oreilles et sur ses vêtements. Il tremblait de froid et d'épuisement. Ma tante lui a fait prendre un bain et lui a fait boire une bolée de bouillon bien chaud. Je lui ai préparé un lit. Il s'est couché et a aussitôt sombré dans le sommeil.

Mon oncle est parti pour Fort Victoria afin de les prévenir de la fugue du Radis et demander s'il peut rester chez nous jusqu'au jour de Hogmanay.

30 décembre
Juste avant minuit

Il y a quelques minutes, nous avons été réveillés par des coups frappés à notre porte. « Qui va là? » a dit mon oncle. « Charles Lewis », lui a-t-on répondu.

Le père du Radis! J'ai enfilé ma robe de chambre et me suis précipitée en bas en criant à mon oncle de lui dire de s'en aller parce qu'il était méchant et qu'il allait recommencer à battre Le Radis. Mais trop tard! Il était déjà entré et serrait la main de mon oncle! Quand il s'est tourné vers moi, en souriant gentiment et en s'excusant de passer si tard, ce n'est pas le visage d'une brute que j'ai vu, mais celui d'un homme bon et gentil.

Entre-temps, Le Radis avait reconnu la voix de son père. « Papa! » a-t-il crié en se précipitant dans ses bras.

« La cruelle fureur? » Je n'en revenais pas! J'étais si fâchée de m'être fait avoir que je suis remontée dans ma chambre sans dire bonsoir.

31 décembre

Le Radis et M. Lewis sont restés à coucher et viennent

de repartir pour Fort Victoria. Dans quelques jours, ils prendront le bateau qui dessert la côte pour se rendre jusqu'à Fort Simpson.

Et le Radis (son père l'appelle Ti-Doudou) est heureux comme un coq en pâte! Hier après le déjeuner, je lui ai demandé de s'expliquer. Je lui ai dit que j'étais embarrassée d'avoir dit à mon père de ne pas ouvrir la porte. « Je l'ai fait pour te protéger! lui ai-je dit. Pour l'empêcher de te battre! »

« Mais il n'y avait pas un mot de *vrai* dans tout ça! » a-t-il dit d'un ton insouciant. (*Il* ne manque pas de culot!) « J'ai fait un méchant de mon père pour le rendre plus intéressant. Comme toi quand tu inventes des histoires. »

« Mais il devait te ramener *chez vous*, alors pourquoi t'es-tu enfui de l'école? »

« Parce qu'il *n'était pas* encore arrivé et que j'ai eu peur qu'il m'ait oublié. Tu sais à quel point je déteste l'école, alors j'ai fait comme tu l'as déjà dit. Tu te souviens, quand tu avais écrit l'histoire d'un Édouard qui avait fugué? J'ai pensé que c'était un message que tu me faisais! J'ai cru que tu me disais de m'enfuir, mais en cachant ton message dans une histoire pour que personne ne le sache. Jenna, j'étais tout fier de moi de l'avoir deviné. J'ai seulement fait ce que tu me disais de faire! »

Je n'en revenais pas, là non plus! À partir de maintenant, je ferai plus attention à ce que je dis dans mes histoires.

11 heures 30 du soir

Quelle merveilleuse soirée! Tout était parfait, sauf que j'ai oublié le châle de dentelle que ma tante m'avait prêté. Ce que je peux être négligente! C'est l'énervement, la gaieté et la course pour rentrer avant minuit, je suppose. En fait, je suis inexcusable. Demain matin, j'irai le récupérer le plus tôt possible, avant que ma tante s'en aperçoive. (À condition qu'elle ne le réclame pas ce soir!)

J'étais peinée de quitter les Langford, mais je suis bien contente d'être ici, car la fête de Hogmanay bat son plein, au rez-de-chaussée, et j'ai hâte d'aller rejoindre tout le monde. Mais je vais d'abord terminer mon récit.

Je connaissais tout le monde, à la soirée des Langford, sauf les officiers et aspirants officiers du *HMS Thetis*. Quelle bande de joyeux drilles! Lucie et moi leur avons fait des coquetteries très ouvertement (comme toutes les autres jeunes filles, surtout celles qui approchent la vingtaine), sans arrêter notre choix sur l'un d'eux en particulier.

La musique était superbe, avec Mme Langford qui jouait du piano, deux violoneux et un aspirant officier avec son harmonica. Nous avons dansé des dizaines de reels et de valses, et plus tard, nous avons joué à colin-maillard. Le jeu était plus difficile que d'habitude, car, avec les nombreux invités qui arrivaient sans cesse, il était pratiquement impossible de reconnaître quelqu'un! La personne que j'ai attrapée, quand j'ai eu les yeux bandés, était un aspirant officier. Je le savais à cause des boutons de son uniforme, mais je n'ai pas pu dire son nom. J'ai finalement donné ma langue au chat et retiré mon bandeau. « James Farraday », a-t-il dit. Je ne l'avais pas vu de la soirée, et il était encore plus élégant que tous les autres. Mais il était dix heures trente, l'heure pour moi de rentrer.

« M'accorderez-vous au moins une dernière danse? » m'a-t-il galamment demandé. J'ai refusé. Je n'allais quand même pas risquer de rater Hogmanay à cause d'une petite danse!

1er janvier 1853
5 h 30 du matin

Notre premier visiteur de l'année est arrivé au moment où nous chantions *Auld Lang Sine*. Et ce n'était nulle autre que James Farraday! Il a les cheveux foncés (c'est bon signe) et n'est pas arrivé les mains vides (un autre bon signe). Mais à la place des petits sablés, du whisky ou du charbon, il tenait le châle de ma tante! (Lucie avait remarqué que je l'avais oublié, et James avait gentiment proposé de me le rapporter.)

Donc il est entré, et nous avons fait les présentations. Mon oncle lui a offert un petit remontant, et nous nous sommes tous tenus par la main pour chanter un autre *Auld Lang Sine*. Puis M. MacLeod a pris son violon, et la danse a continué. Les flammes des bougies scintillaient et vacillaient dans notre arbre de Noël, les petites étoiles de tôles brillaient, et la fête a duré jusqu'à ce que le dernier invité soit reparti. J'espérais que ce soit James Farraday, mais hélas non! Il est parti sur le coup d'une heure du matin, trois bonnes heures avant la fin de nos festivités, parce qu'il avait promis aux Langford qu'il allait rentrer.

Maintenant tout le monde est reparti, ma tante et mon oncle dorment, et la maison est silencieuse. Enfin *presque* car, avec toute l'agitation de la fête, je jure que j'entends nos planchers soupirer de soulagement. Quant à moi, je déborde de toute la gaieté de ces Jours fous de Noël et de l'espoir d'une nouvelle année extraordinaire.

Joséphine Bouvier

Du sang sur nos terres

Joséphine Bouvier,
témoin de la rébellion de Louis Riel

Batoche, Saskatchewan
31 décembre 1884 - 20 novembre 1885

MAXINE TROTTIER

Quand la rébellion du Nord-Ouest a éclaté, la famille de Joséphine s'est rangée du côté de Louis Riel. Après la bataille de Batoche, les Métis qui avaient combattu ont dû affronter d'autres grandes difficultés. Les Bouvier et les autres familles qui avaient décidé de rester ont eu du mal à assurer leur survie, et ce, sans avoir réussi à obtenir les titres de propriété pour leurs terres.

Après Batoche

Le 10 décembre 1885

Notre petit Alexandre est malade, et nous sommes tous très inquiets.

Je suis épuisée après cette longue journée de route, et pourtant je n'arrive pas à m'endormir. Je suis certaine que c'est parce que, pour la première fois de ma vie, je n'habite pas chez nous. Mme et M. Parenteau, les cousins de Louise, sont très gentils de nous accueillir, et généreux aussi. D'autant plus qu'ils ne sont guère mieux nantis que nous depuis que les soldats ont incendié nos maisons au printemps dernier.

Je ne devrais pas m'apitoyer sur notre sort, mais comment faire autrement, surtout quand M. Parenteau, qui est presque aussi vieux que Moushoom, insiste pour poser mille et une questions, comme ce soir après le souper. N'ayant lui-même pas pu combattre, il voulait connaître tous les détails de la bataille de Batoche à laquelle il n'a pas pu participer parce qu'il n'a qu'une seule jambe. Moushoom lui a donné tous les détails, mais je voyais bien qu'il était contrarié.

Personne n'en a parlé, mais je savais que ce soir nous penserions tous longuement à chez nous. Et si

Plus tard

Pauvre petit Alexandre. Je l'ai entendu tousser, et Louise qui était à la cuisine avec Mme Parenteau lui a préparé un cataplasme à l'oignon à poser sur sa poitrine. Mme Parenteau n'avait rien d'autre sous la main. Le traitement a sans doute fait effet, car sa toux a diminué. Je crois que l'air froid d'aujourd'hui ne lui a pas fait de bien, même si Louise l'avait bien emmitouflé et que papa forçait la marche des chevaux afin d'arriver ici le plus vite possible. La maison de Mme Montour à Prince-Albert est encore à une bonne journée de marche. Je suis si inquiète pour mon nouveau petit frère!

De me faire du souci pour sa toux ne change rien. Je prie pour que le trajet jusque chez la sœur de Louise à Prince-Albert ne lui fasse pas de tort.

Encore plus tard

Plus de toux. Ce n'est donc pas la toux qui m'a réveillée, mais les ronflements. Moushoom, Armand, Edmond, papa, M. Parenteau et probablement aussi Mme Parenteau ronflent tous terriblement fort. Dans cette petite maison, impossible d'échapper au bruit. Si

Adrien était ici, au lieu d'être resté chez nous à Batoche dans la cabane de Moushoom, ce serait encore pire. Ah ben? Rien d'autre à faire que d'écrire.

D'ailleurs, je dois réfléchir, ce qui n'est pas très sage à cette heure de la nuit, mais je ne peux pas m'en empêcher. C'est à propos d'une chose que M. Parenteau a mentionnée après le récit que Moushoom a fait de la bataille de Batoche. Il a dit que nous étions tout près de l'endroit où Louis Riel et ses partisans s'étaient cachés pendant trois jours, dans le caveau à légumes d'une certaine Mme Halcro. M. Parenteau a raconté qu'il avait vu, de ses yeux vu, la ceinture fléchée que M. Riel a donnée à Mme Halcro en guise de remerciement. Elle nous la montrerait, si nous le souhaitions, et nous ferait un récit détaillé de ce qui était arrivé quand M. Riel s'est rendu aux mains des autorités.

Papa a dit qu'il allait y réfléchir, mais à voir la tête qu'il faisait, je savais que nous ne nous arrêterions pas chez les Halcro. Aucun de nous ne souhaite se remémorer des événements qui sont encore comme une blessure ouverte dans nos cœurs.

Le 11 décembre 1885

Nous sommes enfin à Prince-Albert! Je n'ai pas vu grand-chose encore, à part cette maison et ses environs, et pourtant ce tout petit peu est déjà étonnant. Il y a tant de gens ici, et tant de voitures et de traîneaux à cheval. .

Depuis la fenêtre de la chambre où je me trouve, je peux voir la rivière Saskatchewan (la branche nord), car la maison de M. et Mme Montour se trouve près de la berge. Il n'y a pas de constructions sur la rive nord, contrairement à ici, sur la rive sud, où il y a des douzaines de maisons, de magasins et d'autres installations commerciales. Papa a dit que nous visiterions la ville en temps voulu, car pour le moment il y a des choses autrement plus importantes à régler. Je suis tout à fait d'accord. Rien n'est plus important que la santé du petit Alexandre. Papa et M. Montour en ont déjà parlé à un médecin qui passera demain.

Le soir

Après le souper, nous avons dit le chapelet avec Mme Montour, son mari, leurs deux jeunes garçons, Jean-Paul et Jean-Claude, et leur fille Sophie. Heureusement que papa, Louise, et Mme et M. Montour ont l'habitude de prier les yeux fermés, sinon ils auraient vu tous les garçons, y compris Armand, qui se faisaient des grimaces. Moushoom et Edmond ont eux aussi échappé à ce triste spectacle, car ils étaient restés assis à la cuisine, à fumer la pipe. Mais pas moi.

Sophie n'a pas fait de grimaces (elle a mon âge et sait bien se tenir), mais elle m'a fait un clin d'œil, comme pour me dire que nous sommes plus grandes et plus raisonnables que nos idiots de frères. Sophie et moi deviendrons peut-être des amies, ce qui serait bien, car nous devons partager sa chambre le temps de notre visite ici.

Très tard

Juste un petit toussotement, mais maintenant il y a des pleurs, car la dernière née des Montour, Élisabeth, a des coliques qui la font beaucoup pleurer. Je n'écrirai rien de plus à propos des ronflements, sauf pour dire que les deux bruits conjugués nous ont réveillées, Sophie et moi. Par contre, je vais écrire à propos d'une découverte extraordinaire que j'ai faite : Sophie aussi écrit son journal intime! Elle m'a confié qu'elle écrit souvent tard le soir, quand elle ne peut pas dormir. En ce moment, nous sommes donc toutes les deux assises, la plume à la main.

Maintenant je suis certaine que nous allons devenir amies.

Le 12 décembre 1885
Le matin

Le médecin nous a fait avertir qu'il serait chez nous dans l'après-midi. Une de ses patientes a un accouchement difficile, et il ne peut pas la quitter. J'ai vu Louise toucher de ses doigts la médaille que sa sœur Rose lui a envoyée il y a quelques mois. Mme Montour et Louise connaissent toutes deux les dangers liés à l'accouchement. Je savais donc qu'elle le faisait pour cette raison, et aussi parce qu'elle se fait du souci pour Alexandre.

J'ai de la peine pour cette femme qui est en train

d'accoucher et j'espère que son enfant et elle survivront. Néanmoins, mon amour pour Alexandre est encore plus grand. Je prie de tout mon cœur pour que le docteur arrive bientôt.

L'après-midi

Mme Montour a eu de la visite cet après-midi, des dames du voisinage qui sont venues non seulement pour la voir, mais aussi pour nous rencontrer. L'une d'elles, une certaine Mme Pascal, a secoué la tête et fait « tit, tit, tit » en se penchant sur Élisabeth, puis sur Alexandre. Elle a recommandé un médicament qu'elle appelle du sirop contre la toux de Mrs. Winslow. Elle en avait acheté à la pharmacie Clark et elle en a tendu un flacon à Louise. Mme Pascal ne jure que par ce médicament, affirmant que non seulement il soulage la toux et les coliques, mais aussi qu'il fait dormir les petits en un clin d'œil. Louise et Mme Montour ont dit qu'elles allaient voir.

Plus tard, une fois Mme Pascal et les autres dames reparties, Moushoom a dit qu'il n'aimait pas l'odeur de ce sirop. D'après lui, il sentait le laudanum, c'est-à-dire l'opium, et que rien n'est pire. Il a connu des hommes qui ont développé une dépendance au laudanum encore plus forte qu'au whisky, alors comment ce sirop pourrait-il faire du bien à un bébé? Alexandre ne devrait pas en prendre une seule goutte.

Je suis tout à fait d'accord.

Le soir

Toujours pas de docteur, mais il nous a fait porter une fiole de médicament par un certain Thomas Eastwood Jackson. M. Jackson (il n'est pas métis) tient une pharmacie. Cette fiole contenait de l'extrait de fraises du Dr Fowler. Je voyais bien que Louise était tiraillée à savoir lequel des deux médicaments donner à Alexandre. C'est alors que Moushoom s'est mis à hausser le ton. Mon grand-père était resté bien silencieux depuis notre arrivée hier. Nous avons donc tous été surpris par ses éclats de voix et ses questions posées de façon pressante à M. Jackson. *Qu'y a-t-il dans ce médicament? Est-il mauvais?* La réponse à cette question a été : non. Le médicament contenait exactement ce que son nom indiquait, et tout le monde sait que les fraises sont bonnes pour la santé. Papa, Louise et Moushoom ont été satisfaits de cette réponse, et Alexandre a reçu le médicament. La tête qu'il a faite! Nous avons tous bien ri.

Par moments, je trouve que le rire fait guérir plus rapidement que tous les médicaments du monde.

Plus tard

Sophie dit que le frère de M. Jackson, William, était à Batoche en tant que secrétaire de Louis Riel. Sophie a entendu dire que, après son procès, William a été enfermé dans un asile pour les fous, mais qu'il s'est enfui et a gagné les États-Unis.

Le pauvre! Peut-être y trouvera-t-il la paix de l'âme.

Le 13 décembre 1885

Ce matin la messe a été dite par le père André, à l'église Sainte-Anne. Les adultes et les bébés bien emmitouflés s'y sont rendus dans la carriole des Montour, mais tous les autres, dont moi, se sont rendus à pied. Cette marche n'a pas été très paisible, car les garçons n'ont pas cessé de se lancer des boules de neige et à nous attaquer aussi.

J'ai trouvé étrange de revoir le père André après tout ce temps. On dit qu'il a été d'un grand réconfort pour Louis Riel dans les moments qui ont précédé sa mort. J'espère que c'est la vérité.

Le 14 décembre 1885

M. Montour se rend tous les jours à son magasin général, après avoir conduit Sophie à l'école. Toutefois, ce matin, il a laissé Sophie à la maison. Il va expliquer aux religieuses qu'il y a de la maladie chez eux et que la sœur de sa femme et sa famille sont de passage pour Noël. On a donc besoin de Sophie à la maison. Les religieuses sauront comprendre.

Hier soir, j'ai entendu Mme Montour qui disait à Louise que l'école Sainte-Anne coûtait très cher. Son mari et elle paient 15 dollars par trimestre pour que

Sophie puisse la fréquenter. Et puis il y a ses vêtements et le reste, qui sont confectionnés par une couturière qui s'appelle Mlle McGuire, car Sophie doit être aussi bien habillée que les autres élèves. Elle apprend même le latin. Mme Montour estime donc que la dépense en vaut la peine.

Difficile de ne pas me sentir un brin jalouse. Je n'ai que deux tenues : celle-ci, composée d'une jupe et d'un corsage, et ma belle robe du dimanche. Mais Moushoom dit toujours que la jalousie est comme la rouille : si vous laissez aller l'une ou l'autre, ça vous rongera. Alors comme je n'ai aucune envie de me laisser ronger par quoi que ce soit, je ne me laisserai pas aller à

Plus tard

Le médecin est enfin arrivé! Il est petit et rondouillet. Il s'appelle le Dr Maxwell et il a une drôle de façon de parler le français. Papa dit que c'est parce qu'il vient de l'Écosse et que, pour cette raison, il roule ses « r » à nous en faire tinter les oreilles.

Le Dr Maxwell a ausculté Alexandre. Il a prescrit un traitement à la vapeur pour l'aider à mieux respirer, mais il était certain que ce n'était pas le croup. Par contre, il a ordonné à Louise et Rose de se reposer et de reprendre des forces afin de pouvoir transmettre cette énergie en allaitant leurs bébés. Je voyais bien qu'elles n'étaient pas d'accord avec lui, mais le docteur a ajouté que Louise et sa sœur devaient manger de la viande rouge et, peut-être, prendre un petit verre de porto tous les soirs, afin d'enrichir leur sang. Et qu'elles avaient besoin de calme et de prendre l'air.

Le Dr Maxwell n'est pas marié, m'a-t-on appris par la suite. Je suppose que c'est la raison pour laquelle il pense que le calme est facile à obtenir dans une maison avec deux bébés et trois petits garçons turbulents.

La nuit

Sophie n'aime pas le latin. Elle ne voit pas à quoi il pourrait lui servir. Elle a dit aussi que j'avais bien de la chance d'avoir pu faire mes classes à la maison. Elle m'envie, plus particulièrement parce que, contrairement à elle, je ne suis pas obligée de porter un corset les jours d'école, afin que mon uniforme s'ajuste correctement.

Et il y a papa. J'ai bien vu que les paroles du médecin l'ont soulagé, mais qu'en même temps elles l'avaient blessé dans son orgueil. Il n'a rien dit, mais il a du mal à supporter de ne pas pouvoir subvenir aux besoins de sa famille. C'est la raison pour laquelle nous sommes ici : depuis la guerre, il n'y a plus assez de nourriture là-bas, à Batoche. Je prie pour qu'Adrien ait de quoi se nourrir. Mon frère va passer un Noël bien solitaire, avec pour seule compagnie Malard, le chien de Moushoom. Je prie pour que, avec le temps, nous puissions obtenir les titres de propriété de nos terres, pour lesquelles nous avons déjà enduré tant de souffrances.

Le 15 décembre 1885

Papa et M. Montour en sont arrivés à une entente. Papa lui a dit que nous étions en visite chez lui, mais que nous refusions de profiter de la situation. Alors tant que nous resterons ici, papa, Moushoom et Edmond vont travailler au magasin de M. Montour. Cher papa : il est si fier!

De presque tout perdre ce que nous possédions a été dur pour nous tous, mais encore plus pour papa qui a dû mettre son orgueil de côté et quitter Batoche. La nuit avant notre départ, il a dit que c'était comme si nous nous enfuyions en courant. Moushoom nous a alors fait remarquer que, dans la situation où nous étions, s'enfuir était la sagesse même, mais que, pour ce qui était de courir, nos chevaux et notre chariot étaient beaucoup trop lents.

Nous avons tous éclaté de rire. C'était très réconfortant.

Le 16 décembre 1885

Sophie et moi en sommes aussi arrivées à une entente. Nous allons participer le plus possible aux tâches ménagères, bien sûr. Mais nous allons aussi nous occuper des garçons en les emmenant dehors tous les jours. Ainsi, la maison sera calme pendant quelques heures au moins.

Le 17 décembre 1885

Mme Montour ne fait pas son pain elle-même ni les gâteaux. Elle les achète à la boulangerie du quartier est. Cet après-midi, Sophie et moi nous y sommes rendues, accompagnées d'Armand, Jean-Paul et Jean-Claude. Nous avons fait un peu de chantage, dois-je avouer : nous leur avons promis à chacun un sou pour des bonbons, ce qui les a empêchés de nous bombarder de boules de neige. Au retour, Armand a montré aux jumeaux comme il est intelligent en lisant à voix haute ce qui était écrit sur une affiche collée dans la vitrine d'un magasin. Il aurait mieux fait de se taire!

C'était une annonce pour un spectacle qui aura lieu demain soir. Les garçons ont supplié papa et M. Montour de les y emmener. Mais aucun de nous n'assistera à cette soirée parce qu'elle est organisée par la police : la Police montée du Nord-Ouest, celle-là même qui a combattu nos guerriers métis à Duck Lake. Moushoom a dit que la rancœur ne règle jamais rien, mais qu'il y a quand même des limites. De toute façon, il ne croit pas que la police puisse être très divertissante.

Plus tard

Je suis sûre que je ne devrais pas le penser, et je ne le dirai jamais tout haut, mais cette maison n'est pas aussi métisse que la nôtre l'était. Mme et M. Montour sont métis, mais ils parlent rarement mitchif chez eux; seulement le français et l'anglais. M. Montour dit que l'anglais est la langue des affaires ici, à Prince-Albert. Je trouve cela bien dommage.

Le 18 décembre 1885

Ce soir, papa et les autres ont rapporté une belle surprise à la maison : une grande épinette. J'ai déjà entendu parler des arbres de Noël, bien sûr, mais ce n'était pas la tradition d'en avoir un, à Batoche. Sophie et moi avons eu la permission d'accrocher les décorations en verre, car on nous faisait confiance pour ne pas les briser. Les garçons ont eu un plaisir fou à confectionner des guirlandes de maïs soufflé et de canneberges. Papa et M. Montour ont déposé des bougies sur quelques branches et les ont allumées avec précaution, le temps de nous laisser les regarder quelques minutes. Même Moushoom a apprécié. Il a dit que c'était bien mieux que de regarder des policiers faire des galipettes sur une estrade. Nous avons tous bien ri.

Par la suite, M. Montour nous a montré une annonce dans le journal d'aujourd'hui. Il l'avait fait paraître afin de faire connaître les marchandises qu'il vend dans son magasin. Il avait acheté deux exemplaires du journal. Ainsi, Sophie et moi pourrons chacune découper cette annonce et la coller dans notre journal intime.

MONTOUR ET FRÈRES,

magasin général,

vient de recevoir un gros
approvisionnement de

MERCERIE ET ÉPICERIE

Thé,
Tabac,
Café,
Gruau,
Sucre,
Conserves
Poires de la Californie

Liquidation d'inventaire :

Vaisselle

ET

Quincaillerie

AU PRIX COÛTANT

FAITES VITE!

Après le 31 décembre, tous les comptes
en souffrance seront réclamés à leurs débiteurs.

Le 19 décembre 1885

J'ai enfin vu à quoi ressemble une carte de Noël, car il en est arrivé une aujourd'hui, de la part du cousin de M. Montour de Regina. Dessus il y avait un gros monsieur avec une barbe. Sophie dit que c'est le Père Noël. Jean-Claude et Jean-Paul ont tout expliqué à

Armand, au sujet du Père Noël. Par la suite, Armand m'a dit qu'il n'en croyait pas un mot. Un monstre comme le *gougouche* qui vit sous votre lit, passe encore, mais un bonhomme qui descend par les cheminées, c'est ridicule! Comment ne pas être d'accord?

Le 20 décembre 1885

Messe à l'église Sainte-Anne. Le sermon du père André commençait par : « Paix sur la Terre aux hommes de bonne volonté ». Après, papa a discuté avec lui. Apparemment, il nous fait ses amitiés et priera pour notre retour à Batoche. Parfois je me pose des questions à propos des prières. Nos vœux ne sont pas toujours exaucés, et quand ils le sont, ce n'est pas toujours comme nous l'aurions souhaité. Je repense à Louis Riel et à toutes ces femmes de Batoche qui ont prié pour notre victoire, durant la bataille. Nous avons tant perdu, malgré toutes ces prières!

Néanmoins, le *Boun Djeu* a entendu mes prières. Malgré le peu de jours passés ici, Alexandre semble aller mieux. Louise aussi. Peut-être à cause du médicament ou peut-être à cause de la viande rouge et du porto. Mais je crois qu'il y a autre chose. Louise nous aime, mais je sais qu'elle est heureuse de retrouver sa sœur, même si ce n'est que temporairement. De son vivant, maman disait que l'amour pouvait guérir bien des maux.

Tu avais raison maman, comme d'habitude.

Le 21 décembre 1885

Les frères de Sophie ont tous les deux accroché leur bas de Noël au manteau de la cheminée, dans le salon. Les jumeaux disent que nous devons faire de même, sinon nous ne recevrons pas les gâteries que laisse le Père Noël en passant.

Plus tard

J'ai vu qu'Armand avait suspendu un de ses bas à côté de ceux des jumeaux. Armand pense que l'histoire du Père Noël et de la cheminée est stupide, mais apparemment il croit qu'il vaut mieux ne pas risquer de manquer les gâteries!

Le 22 décembre 1885

Sophie et moi avons suspendu un de nos bas à côté de ceux des garçons. Elle dit que c'est juste pour le plaisir, puisque ce sont ses parents qui y mettent les gâteries. Je ne dois rien en dire aux jumeaux, car ils croient vraiment au Père Noël. *Ah ben!*

Le 23 décembre 1885

Il fait très doux, et Louise et sa sœur sont en grande forme. Elles ont donc décidé d'habiller leurs bébés bien chaudement et de nous accompagner dans notre promenade de l'après-midi. Alexandre et Élisabeth avaient l'air de bien aimer se faire tirer sur la neige dans le traîneau des jumeaux et, pour une fois, les trois garçons ont été sages.

Tandis que nous marchions, Sophie m'indiquait les points d'intérêt : ici, la cathédrale anglicane qui, étrangement, est construite en rondins, et là le moulin de la Compagnie de la Baie d'Hudson et la pharmacie de M. Jackson.

À cet instant précis, Jean-Paul a montré du doigt la station de police. Ma journée en a été gâchée, car c'est l'endroit où papa, Adrien et tant d'autres ont été incarcérés après la bataille de Batoche. Quand je l'ai raconté à Moushoom, lui disant qu'à mon avis cet endroit devrait être démoli, il a ri. Ce bâtiment est toujours debout, a-t-il dit, tout comme le peuple métis, d'ailleurs.

Moushoom. Comme il est plein de sagesse!

Par la suite, papa et Moushoom ont parlé de leur ami One Arrow, qui est toujours en prison au Manitoba. Ce doit être très dur pour lui, qui a toujours vécu dans un tipi, de se retrouver enfermé dans un bâtiment de pierres. Ce soir je vais prier pour que One Arrow soit bientôt remis en liberté.

Le 24 décembre 1885

Pas une minute de calme dans la maison, aujourd'hui, mais personne ne semblait en être incommodé. Après tout, demain c'est Noël!

Le 25 décembre 1885
Noël, temps doux

Le repas de Noël était très bon, avec une oie que Sophie et moi avions farcie. Louise et Mme Montour ont préparé le pouding de Noël à l'anglaise, et c'était franchement délicieux. Dans nos bas de Noël, Sophie et moi avons eu des rubans pour les cheveux. Le Père Noël a l'air de savoir que ma couleur préférée est le bleu.

Il a laissé un drôle de truc dans le bas de chacun des garçons : une bandelure. C'est un jouet fait d'une ficelle enroulée entre deux rondelles de bois. Quand on sait le faire fonctionner, la ficelle se déroule, puis s'enroule de nouveau toute seule en faisant remonter le jouet. Pour le moment, les garçons n'y sont pas encore arrivés. Louise dit que ce jouet porte aussi le nom de « jouet du prince de Galles ». Quand Armand a dit que, si le prince de Galles avait une bandelure, alors peut-être que la reine Victoria aussi en avait une, nous étions tous tordus de rire.

Quelle belle journée pleine de bonheur!

Le 27 décembre 1885

Papa a décidé que nous allions rentrer chez nous après la messe. Adrien est sûrement capable de s'occuper de ce qui reste de notre propriété, mais son Noël a dû être bien triste. Qui plus est, papa a des envies de reconstruire qui le démangent, et la seule façon de soulager ces démangeaisons est de se mettre au travail.

Sophie me manquera, et sa gentille famille aussi, mais elle a promis de m'écrire. L'arbre de Noël était magnifique, mais j'ai hâte de retrouver Batoche.

Le 31 décembre 1885, tard

Nous sommes de retour, et notre famille est enfin réunie! Quel plaisir de revoir Adrien après tout ce temps! Et Malard! Il a aboyé et gémi de joie en retrouvant son Moushoom. Je savais que le chien et mon frère m'avaient manqué tous les deux, mais j'ignorais à quel point avant de me retrouver au bord des larmes. Je n'ai pas eu à lutter bien longtemps, ma joie ayant vite pris le dessus. Et la fatigue, car nous ne pouvions pas laisser cette année se terminer sans célébrer un peu. Au lit, Joséphine!

Après minuit

Ce sont les coups de fusil tirés par papa qui m'ont réveillée, un coup à l'ouest pour dire adieu à l'année qui se termine et un coup à l'est pour saluer l'arrivée de la nouvelle année. Une bien triste et bien étrange année! Tant de changements et tant de pertes! Je suppose que c'est l'une de ces pertes qui m'a amenée à décider de ne pas raconter ici ce qui s'est passé hier. Mais ce n'est pas la bonne chose à faire. Un récit doit avoir sa fin, même si celle-ci n'est pas ce que l'on aurait souhaité. En plus, Moushoom me dit tout le temps de toujours écrire la vérité.

Toujours est-il que finalement, nous nous sommes

arrêtés chez Mme Halcro. C'était l'un de ces moments où tous les membres de notre famille semblent avoir la même idée en même temps sans que personne ne le dise tout haut. Elle était extrêmement heureuse d'avoir de la compagnie et de savoir un peu ce qui se passe à Prince-Albert. Puis elle a proposé de nous montrer la ceinture fléchée de M. Riel et nous a même laissés la tenir dans nos mains à tour de rôle.

Quand mon tour est arrivé, je m'attendais à simplement sentir que je touchais de la laine. Toutefois (et je ne le dirai qu'en ces pages), j'ai senti bien plus que cela. On aurait dit que quelque chose de M. Riel était resté imprégné dans la ceinture. J'ai eu l'impression d'y sentir la présence de son esprit, mais maintenant je me demande si ce n'était pas plutôt l'esprit du peuple métis.

Je suppose qu'il n'y a pas de réponse à ma question. Peut-être n'est-il pas nécessaire d'y répondre. Et puis, qui peut dire ce que nous réserve cette année 1886? Je sais déjà que, quand papa a parlé, il y a quelques jours, de reconstruire, il m'a semblé qu'il ne parlait pas seulement d'une maison et d'une grange. De nouveau réunis dans la cabane de Moushoom, j'ai le sentiment que notre famille a déjà commencé à se reconstruire.

Élisa Bates

Mes frères au front

Élisa Bates,
au temps de la Première
Guerre mondiale

Uxbridge, Ontario
25 décembre 1916 – 25 décembre 1918

JEAN LITTLE

Les frères d'Élisa étaient tous deux soldats durant la Première Guerre mondiale. Au Canada, sur le front domestique, la vie n'était pas facile : pénuries de charbon, rationnements alimentaires, nouvelles tragiques de soldats morts ou portés disparus. Élisa priait tous les jours pour que ses deux frères lui reviennent sains et saufs. En ces jours difficiles, elle trouvait paix et réconfort au sein de sa famille exubérante et pleine d'amour. Toutefois, le jour de Noël de 1919, un nouveau malheur s'abat sur la famille Bates.

Comme les doigts de la main

Vendredi 26 décembre 1919
Chez Tamsyn

Cher Journal,

Merci, merci et merci! Papa dit que tu es probablement le premier journal intime tout neuf de toute l'histoire de l'humanité à avoir sauvé les vies de toute une famille. C'est vrai : sans toi, nous serions peut-être tous morts dans nos lits hier soir, quand notre maison a pris feu! Si je ne t'avais pas accidentellement laissé en bas et n'étais pas redescendue pour te chercher, je n'aurais jamais vu la fumée. D'ailleurs, tu as gardé une légère odeur de fumée, cher Journal. Mais ne t'en fais pas, cela ne me dérange pas.

Aujourd'hui, c'est le *lendemain* de Noël pour la famille Bates. D'habitude ce jour-là, c'est nous qui allons porter de la nourriture et d'autres effets aux gens dans le besoin. Aujourd'hui, c'est à notre tour de recevoir des paniers de nourriture. Presque toutes les provisions que nous avions chez nous ont été détruites.

Dieu merci, l'incendie ne s'est pas produit la veille de Noël! Hier soir avant le souper, nous avions transporté nos cadeaux dans nos chambres, alors ils n'ont pas été endommagés. Remarque que rien dans le salon n'a été abîmé.

Je ne peux pas te raconter toute cette histoire maintenant. Tout s'emmêle dans ma tête, et je n'arrive pas à rester tranquille, assise à écrire, surtout que je ne suis pas chez nous. Ce devrait être amusant de rester ici, chez Tamsyn, et ce l'est par moments, mais je suis trop chamboulée probablement. Je n'arrête pas de me demander comment vont les autres et je voudrais être avec eux. Je crains qu'il leur arrive un autre malheur et que je ne sois pas là pour le vivre avec eux. Nous nous retrouverons pour le souper, mais cela me semble une éternité. Maman me manque. Et même Vérité! Je n'aurais jamais cru qu'elle me manquerait tant, quand elle est partie œuvrer comme infirmière en Europe, et aujourd'hui elle me semble encore plus loin.

Je pense aussi à Hugo et je voudrais lui raconter notre drame. Il est peut-être déjà au courant. On dit que les morts veillent sur nous. Je voudrais bien que ce soit vraiment vrai. Je l'aimais tant que j'ai encore du mal à croire qu'il a été tué à Vimy, cher Journal. Mais je ne peux pas écrire à ce sujet alors que ma tête est pleine de ce qui est arrivé hier soir. Oh! Cher Journal, merci encore! Je t'en serai reconnaissante jusqu'à la fin de mes jours!

Samedi 27 décembre 1919
Chez Tamsyn, à l'heure de dormir

Maman dit que, par moments, je tombe trop facilement dans le mélodrame. Elle doit tout de même admettre que c'est l'événement le plus dramatique de toute notre existence à chacun de nous. Alors, cher Journal, voici ce qui est arrivé.

J'avais prévu écrire dans tes pages après t'avoir reçu en cadeau de la part de tante Marthe, le matin de Noël, mais je ne m'y suis jamais mise. Maintenant j'ai un peu de temps pour te raconter ce qui est arrivé la nuit de Noël, car Tamsyn prend son bain et se fait laver les cheveux afin d'être toute prête pour la messe de demain. J'ai donc quelques précieuses minutes à moi toute seule. Je suis déjà toute propre parce que je sentais trop la fumée ce matin. Je trouve que je sens encore un peu, mais Tamsyn m'a reniflée de près et a dit que non. Sa mère m'a lavé les cheveux plusieurs fois. Et je vais devoir porter une des robes de Tamsyn, car les miennes sont tout enfumées.

Ce Noël était différent parce que, entre autres choses, j'avais proposé à Jack et Rosemarie de m'occuper de Rufus afin de leur permettre de passer une nuit sans lui. Mon petit neveu Rufus est un amour, mais il est aussi très accaparant. (Maman dit que Jack l'était tout autant quand il était petit. Pauvre maman!) En tout cas, j'ai décidé qu'ils méritaient un petit congé de parents. C'est le cadeau de Noël que je leur ai offert. Nous avons installé le berceau dans ma chambre et nous avons eu beaucoup de plaisir à installer Rufus dedans. J'ai finalement réussi à l'endormir et me suis mise au lit. Mais je n'arrivais pas à m'endormir.

J'ai peut-être eu un pressentiment, mais je n'en suis pas certaine. Je crois que je n'avais tout simplement pas l'habitude de partager ma chambre avec un bébé qui ronflote et suce son pouce en dormant. Un vrai petit cochon qui tète!

Puis tout à coup, je me suis rendu compte que je t'avais laissé en bas. J'ai eu peur que Belle te trouve le lendemain matin et qu'elle dessine dans tes pages avant que je puisse venir à ta rescousse. J'ai donc enfilé ma robe de chambre et suis descendue sur la pointe des pieds pour aller te récupérer. Je t'ai glissé dans ma grande poche appliquée et m'en suis retournée vers ma chambre. Ce n'est qu'au milieu de l'escalier que j'ai remarqué la fumée. Sur le coup, cela m'a semblé sans importance. Je crois que je me suis dit qu'elle venait du feu que nous avions fait dans la cheminée du salon. Mais quand j'ai été de nouveau installée dans mon lit, j'ai su immédiatement que quelque chose clochait. La fumée venait du bureau de papa, qui est de l'autre côté du couloir, et le foyer qui s'y trouve est condamné.

Je me suis aussitôt relevée et me suis précipitée au

haut de l'escalier. J'ai alors vu les volutes de fumées qui montaient jusqu'à moi. Je suis vite allée réveiller papa, puis j'ai filé au secours de Rufus. Quand nous sommes sortis, tu étais donc toujours avec moi, grâce à ma grande poche. Autrement, tu aurais sans doute été perdu à jamais. Je n'avais pas encore commencé à écrire dans tes pages, mais je tenais à toi depuis l'instant même où je t'avais déballé et que j'ai su que je pourrais continuer à écrire l'histoire de ma vie.

Nous sommes dispersés à travers la ville ce soir. Je loge à côté de chez nous, chez Tamsyn, comme je te l'ai déjà expliqué. Normalement je continuerais d'écrire toute cette aventure au complet. Mais maintenant Tamsyn est revenue, sentant bon le talc et le shampoing, et sa mère vient de dire que nous devons éteindre la lumière.

Demain, cher Journal, je te reviendrai et te dirai tout, sans oublier le moindre détail intéressant.

Dimanche 28 décembre 1919
Après le souper

L'église était bondée ce matin. D'habitude les gens viennent en masse le dimanche *avant* Noël, puis le jour de Noël. Mais le dimanche suivant, beaucoup restent plutôt chez eux. Ils étaient peut-être trop contents de nous savoir en vie! Ils voulaient peut-être entendre le sermon de papa. Dans la Bible, on parle quelque part d'un « tison tiré de l'incendie ». Ils nous voient peut-être comme cela. Même la famille de Tamsyn s'est déplacée, et ils sont anglicans. Ensuite elle m'a avoué que c'était la première fois de sa vie qu'elle entrait dans une église presbytérienne.

J'ai oublié de parler de Rosemarie et Jack, qui sont venus chercher Rufus. Tandis que Jack serrait Rufus si fort que le petit a crié, Rosemarie t'a saisi, cher Journal et t'a embrassé. Je venais de lui expliquer que tu avais sauvé son petit trésor. Elle m'a aussi embrassée, puisque c'est moi qui ai fait sortir Rufus de notre maison en flammes. C'*était* généreux de ma part, car il ne cessait pas de hurler et de me donner des coups de pieds. Il devait être effrayé. En tout cas, moi je l'étais. Il était comme un chat enragé qu'on aurait jeté à l'eau. Rosemarie et Jacksont sont restés un peu, puis ils ont ramené leur cher petit à la ferme. Ils ont proposé de m'emmener avec eux, mais je préférais rester près de maman et papa, et de notre maison. C'est chez moi.

Papa nous a dit que le policier lui a expliqué que le feu a commencé dans la cave, sur une des poutres. Celui qui a installé les fils électriques est un membre de la Congrégation, et papa pense qu'il a fait une erreur. Le pompier pense que le feu est monté par la cheminée de l'ancien foyer, puis s'est répandu dans le mur. Quand j'ai réussi à réveiller papa, on voyait des flammes, et le feu avait gagné la cuisine. Nous avons eu de la chance que les pompiers soient arrivés en moins de deux. Il y a des dégâts causés par l'eau et la fumée, et un grand trou dans un mur, et tout empeste la fumée, mais ils disent que tout peut être réparé.

La bonne était partie chez sa sœur pour Noël, mais elle est revenue dès qu'elle a appris la nouvelle. Elle n'était pas très contente de voir tout le nettoyage qu'il y avait à faire. Elle aura encore plus de mal que d'habitude à tout garder en ordre.

Belle a été très effrayée par toute cette histoire et reste continuellement accrochée aux jupes de maman. Elle *n'a* que sept ans, après tout. Charlie et Suzanne se sont pavanés, se vantant d'avoir eu la vie sauve de justesse, mais maintenant Charlie garde toujours Isaac avec lui, en laisse. Quand nous sommes sortis de la maison, j'ai d'abord cru qu'Isaac était prisonnier des flammes. Je l'entendais aboyer, mais je n'arrivais pas à le voir. Charlie le tenait sous son bras, enroulé dans une couverture. J'aurais dû le deviner!

Assez pour aujourd'hui.

Dimanche 29 décembre 1919
Chez Tamsyn

Je suis contente que nous soyons en vacances de Noël cette semaine, sinon maman nous aurait tous envoyés à l'école. Je suis contente aussi que la famille de Tamsyn habite juste à côté de notre maison, car ainsi je peux voir ce qui s'y passe. Une chose s'est produite, qui nous a grandement étonnés. Les poissons rouges de Belle étaient presque gelés dans leur bocal, mais quand la glace a fondu, ils étaient encore en vie! Si Isaac était resté pris dans notre maison, il serait certainement mort. Quoiqu'il soit assez futé : il aurait probablement trouvé le moyen de se faufiler au-dehors.

Les grands trous dans les murs brûlés du bureau de papa sont maintenant placardés, et le papier peint est tout abîmé. Les hommes de la Congrégation sont déjà à l'œuvre et réparent les dégâts. Maman dit que nous pourrons être chez nous pour la fête des Rois. Oh! J'ai si hâte! J'ai besoin de me retrouver chez moi.

J'ai peut-être l'air ingrate, mais ce n'est pas cela. Tamsyn est formidable, et ses parents sont vraiment gentils avec moi, mais ma famille est séparée et tout éparpillée. Les jumeaux sont chez les Moffat. Belle, maman et la bonne sont chez Mme Mansefield. Elle est ravie de les avoir avec elle. Papa avait toujours du chagrin de la savoir si seule et l'invitait toujours à souper, le dimanche soir. Maintenant c'est à notre tour d'être les gens à plaindre. Je me sens mal à l'aise de lui devoir quelque chose aujourd'hui, après l'avoir tant détestée. Il faut tout le temps lui sourire et lui dire merci. Je vais devoir cesser de la considérer comme quelqu'un à plaindre.

J'ai décidé d'admettre que je ne suis pas gentille. Je suis peut-être en train d'apprendre à l'être.

Mardi 30 décembre 1919

Bon, nous ne sommes pas la seule famille à avoir des soucis. Le téléphone a sonné au beau milieu de la nuit. Quand le père de Tamsyn est revenu, nous pouvions entendre sa mère dire : « Mais qu'est-ce qui va encore nous tomber sur la tête? ». Puis la porte de leur chambre s'est refermée, et nous ne pouvions plus rien entendre.

Ce matin, nous avons appris que Lavinia, la grande sœur de Tamsyn, s'en vient aujourd'hui avec son bébé. C'était son mari David qui a téléphoné. Elle a eu la grippe espagnole après la fin de la guerre et, même si elle y a survécu, elle est restée fragile des poumons ou quelque chose du genre. Puis elle a eu son bébé, et David a dit qu'elle avait besoin de tant de soins que c'était trop pour lui seul. Il est médecin et est allé en Europe pendant la guerre, mais, même s'il est revenu sain et sauf, il y a quelque chose qui cloche chez lui. Je ne sais pas quoi, cher Journal, mais chaque fois que les parents de Tamsyn parlent de lui, on entend bien qu'ils sont rongés d'inquiétude. Albert, le bébé, a des coliques.

Il faut que j'aille raconter à maman ce qui se passe ici. Je crois que je ne peux pas rester ici si Lavinia et les autres arrivent.

C'est étrange : parfois on pense qu'un malheur est terminé, comme la guerre ou la grippe espagnole, et soudain on découvre que ce n'est pas tout à fait fini : il y a des retombées tardives qui viennent troubler votre paix. C'est comme des vagues qui soudain viennent se briser sur la plage alors qu'on pensait que la mer était calme. On est là, tout heureux d'être à la mer, et soudain on est emporté par le ressac. Nous sommes sur la terre ferme et jusqu'ici nous nous en sommes sortis, mais ça a été dur pour notre Jack, qui est rentré de la guerre grièvement brûlé, et papa pleure encore la mort de Hugo.

J'ai bien peur d'être obligée d'aller rejoindre maman et Belle chez Mme Mansefield. Juste ciel! Ce sera une occasion de mettre à l'épreuve ma résolution d'être plus gentille. Je crois que la bonne, elle aussi, a du mal avec la gentillesse. Elle est retournée chez sa sœur en attendant que notre maison soit prête. Elle avait dit qu'elle allait prendre Belle avec elle, mais Belle était affolée à l'idée de s'éloigner de maman. Elle pense probablement qu'un autre incendie pourrait éclater et que, cette fois-là, elle ne pourrait pas s'en échapper. C'est maman qui l'a sortie de la maison la nuit de l'incendie, tandis que papa allait au secours des jumeaux.

Tamsyn dit qu'elle veut vraiment aimer le bébé de Lavinia, car c'est son neveu après tout, mais ses coliques la rendent folle. Elle dit qu'elle a l'impression qu'il la déteste.

J'ai entendu parler des coliques. Maman dit que Jack et Vérité en avaient et que, le jour même de ma naissance, elle m'a fait promettre de ne pas en avoir. Elle le dit pour rire, je le sais, mais elle a l'air d'avoir trouvé cela très dur. À entendre Tamsyn, ce serait carrément atroce, mais à ce point, jamais je ne le croirai. Albert a cinq mois maintenant. Je me rappelle Rufus à cet âge. Il était si mignon! Tamsyn dit qu'Albert n'arrête pas de hurler. Je suis sûre que je pourrais arriver à le calmer. On dirait que je sais comment m'y prendre avec les bébés. Je ne l'ai dit à personne, mais on verra bien.

Plus tard

J'ai parlé à maman et je resterai chez Mme M. dès demain après-midi. Lavinia et les siens ne seront pas encore arrivés à ce moment-là, car ils viennent de très loin. J'ai encore questionné maman à propos des hurlements d'Albert, et elle a dit qu'ils s'arrêteront un jour. Selon elle, avoir un bébé qui souffre de coliques est un cauchemar. Puis on s'en sort et on a du mal à croire que c'était si atroce.

Mercredi 31 décembre 1919

Ce soir c'est la veille du jour de l'An. Normalement nous aurions fêté, mais à la place nous déménageons. Je vais partager un grand lit avec Belle. J'aime tendrement ma petite sœur, mais elle est épuisante comme compagne de lit. Maman a promis que nous allons rentrer chez nous dans deux ou trois jours! Je ne m'étais jamais rendu compte à quel point ma maison m'était chère. Ma chambre me semble un paradis. Peu m'importe les relents de fumée, en autant que je peux retourner chez moi.

Je partais de chez Tamsyn quand Lavinia et son mari sont arrivés à bord du taxi de la gare. Son mari l'a aidée à descendre, et elle a pris son bébé dans ses bras. J'étais vraiment peinée pour elle. Elle est si pâle, presque gris cendre, et ses yeux sont comme vides et sans vie, comme si elle n'avait pas ri depuis des semaines. Elle est beaucoup trop maigre, aussi.

Ce bébé hurle vraiment très fort. J'en avais mal aux oreilles. Je me suis précipitée vers elle sans prendre le temps d'y penser et j'ai tendu les bras pour le prendre. J'avais la certitude que Lavinia n'arriverait jamais à atteindre la maison sans l'échapper par terre en chemin. J'ai découvert par la suite que le père d'Albert ne porte jamais son bébé parce ce que cela semble le faire crier encore plus. Du moins, de l'avis de Lavinia. Elle m'a pratiquement lancé Albert, puis d'un pas chancelant elle s'est dirigée vers sa mère qui lui tendait les bras. David (le docteur Lewis) l'a suivie, portant leurs bagages. Il est grand et se tient très droit. Il ne m'a pas souri ni même regardée, pas plus que son braillard de fils.

Je faisais les cent pas avec le bébé tandis que les autres couraient dans tous les sens, avec leurs valises ou leurs affaires. Cher Journal, Albert n'est pas un bébé normal : c'est une machine à hurler, avec un visage tout rouge et renfrogné, et des petits poings toujours prêts à vous frapper comme des marteaux. J'avais beau l'enrouler bien serré dans la couverture, il trouvait toujours le moyen de libérer un de ses bras et de me donner un bon coup.

Puis je me suis rappelé un truc que faisaient maman et la bonne quand Belle était petite et était maussade. Dans un moment où personne ne nous prêtait attention, je l'ai emmené avec moi dans notre cuisine enfumée et j'ai pris le miel dans l'armoire. Pas facile, tu t'en doutes, avec Albert accroché à mon corsage. J'ai trempé mon doigt dans le miel et lui en ai posé une goutte sur les lèvres. Ça a marché! Pendant une dizaine de secondes, il était absorbé par ce miel qu'il goûtait. Mes oreilles se réjouissaient de ce petit moment de repos, sans cris ni hurlements. Avant qu'il ne recommence, je lui en ai donné une autre goutte et, tandis qu'il était occupé, j'ai pris le pot de miel et l'ai glissé dans la poche de mon manteau, en prenant soin de bien serrer le couvercle.

Quand je suis ressortie, avec Albert dans les bras, qui faisait des grimaces et s'apprêtait à se remettre à hurler, Lavinia se tenait debout dans la neige, l'air hors d'elle. On aurait dit que j'étais une voleuse d'enfants. « Qu'est-ce que tu lui as fait? » m'a-t-elle lancé à la figure. Mais ce bon vieux Albert a lâché un grand hurlement, et toute réponse de ma part n'aurait jamais pu être entendue. Je l'ai rendu à sa mère sans avoir à expliquer pourquoi il avait les lèvres toutes collantes. Quand l'occasion se présentera, je confierai ce secret à Tamsyn. Ça ne fera pas de miracles, mais cela peut aider de temps en temps. Ses cris sont comme une sirène de pompiers! Lavinia l'a serré sur son cœur comme si elle venait de l'arracher des mâchoires d'un lion.

Je suis restée sans bouger et l'ai regardée retourner à toute vitesse à l'intérieur, son bébé dans les bras. Je dois avouer que j'étais bien contente de l'énorme crise qu'il lui faisait. Il voulait du miel.

Ensuite, Tamsyn m'a accompagnée chez Mme M., trop heureuse d'échapper au branle-bas qui régnait chez elle. Elle m'en a raconté un peu plus au sujet du père d'Albert. En rentrant de la guerre, il devait ouvrir un cabinet de médecine générale, mais Lavinia a attrapé la grippe espagnole. Elle a failli en mourir, et cela l'a profondément changé. La naissance d'Albert aurait pu remettre les choses en place, mais ce fut tout le contraire.

Tamsyn dit qu'elle a peur de David par moments. Lors d'une de leurs précédentes visites, il a fait des cauchemars et parlé tout haut dans son sommeil. Quand il se lève le matin, il est très tendu et difficile à dérider.

Personne n'a dit à Tamsyn ce qui ne va pas chez lui, mais en écoutant aux portes elle a entendu Lavinia s'épancher sur ses malheurs. J'ai dit à Tamsyn que David devrait en parler avec papa. Tout le monde dit qu'il sait réconforter ceux qui ont des difficultés en revenant de la guerre. Plusieurs sont sans travail parce que les postes qu'ils occupaient avant de s'enrôler n'existent plus ou sont occupés par d'autres. Même ceux qui sont rentrés en forme ont du mal à trouver du travail, une fois rapatriés.

Tamsyn dit qu'elle ne croit pas que David parlerait à un pasteur. Il a dit à Lavinia qu'il ne croyait plus en Dieu. Il n'est pas le seul. J'ai entendu papa expliquer à un autre ancien soldat que nous perdons tous foi en Dieu, par moments, mais que cela importe peu puisque Dieu ne perd jamais foi en nous. Tamsyn a eu l'air ébranlée. « Je n'aurais jamais cru un pasteur capable de dire une chose pareille », a-t-elle dit.

J'ai dit que j'avais besoin de prendre l'air et je suis sortie. Elle ne m'a pas suivie. Je suis restée assise sur les marches du perron. J'ai pensé à Hugo et me suis demandé s'il serait rentré de Vimy dans cet état, l'air vide et comme gelé de l'intérieur. Il me manque tant, et je voudrais tant qu'il soit ici, même grièvement blessé. Mais comment verrait-il la vie, après tant d'épreuves? Lui qui était si solide et toujours débordant de joie. Est-ce une autre sorte de blessure de guerre?

Les brûlures sont évidentes sur le corps de Jack, mais la douleur se rend-elle plus profondément que la surface de la peau? Je ne sais pas. J'aurais besoin de Hugo pour me l'expliquer. Mais personne ne parle de Hugo, ces jours-ci, car nous craignons tous de faire de la peine à papa. Jack et moi en parlons ensemble, mais nous sommes rarement seuls sans personne d'autre. J'ai l'impression que Charlie s'ennuie beaucoup de Hugo, mais peut-être pas. Je ne peux pas lui poser la question directement.

1920

Jeudi 1er janvier 1920

Bonne Année!

J'avais besoin de prendre congé de Mme M., alors ce matin je suis allée chez Tamsyn, et j'entendais Albert hurler avant même d'être rendue devant la porte. J'avais apporté le pot de miel. Maman a ri en disant que, donné avec modération, cela ne lui ferait pas de mal. Elle a aussi dit que Tamsyn et moi, nous pourrions nous porter volontaires pour l'emmener en promenade. D'après maman, Lavinia a un grand besoin de sommeil.

Mme M. m'avait surprise en proposant de nous prêter un landau. Il est magnifique, tout en osier. Vraiment digne d'une princesse! Je voulais lui demander d'où il venait, mais maman m'a fait signe que non de la tête. Je l'ai donc épousseté et garni des couvertures que Mme M. m'a apportées. Puis je l'ai fait rouler jusque chez Tamsyn.

Après quelques minutes de cahots dans le landau, Albert a geint un peu, puis s'est calmé. Tamsyn s'est penchée pour voir, tout inquiète. « Il dort! » s'est-elle exclamée. Un vrai miracle tombé du Ciel! Je me sentais toute fière, comme si c'était moi qui, grâce à une formule magique, avais réussi cet exploit. Avec la neige et la glace, le sol était très inégal, alors il s'est fait secouer dans le landau et, avec le bruit des roues en guise de berceuse, il s'était endormi.

Quand nous sommes revenues chez Tamsyn, sa mère s'est précipitée dehors, avec le doigt sur les lèvres. Lavinia dormait profondément depuis notre départ. Elle ne voulait pas que nous rentrions avec le cher enfant et nous a renvoyées pour une autre promenade à travers la ville. Nous avons passé tout l'avant-midi du jour de l'An, et même un petit bout de l'après-midi, à déambuler dans Uxbridge avec notre petit prince endormi. Pousser un landau dans la neige, même s'il est de qualité comme celui de Mme M., est plus difficile qu'il n'y paraît. Nous nous sommes arrêtées pour dire bonjour à maman, et elle a dit à Tamsyn qu'on peut toujours compter sur une chose avec les coliques : elles finissent par s'arrêter. On pense que non, puis ça arrive, et votre bébé devient comme une vraie bénédiction.

Tamsyn l'a regardée fixement, comme si elle n'en croyait pas un traître mot.

« Je te le jure », a dit maman.

Quand nous avons finalement ramené le bébé chez lui, cher Journal, Lavinia avait tellement meilleure mine que j'étais contente d'avoir pris mon temps.

David a caressé la joue de son fils en lui disant tout doucement : « Bravo fiston! » Il n'est donc pas *juste* un ancien combattant tourmenté, il est aussi un vrai père. J'ai vu Albert sourire, mais personne d'autre ne l'a remarqué. C'était un vrai sourire, pas juste un rictus à cause d'un rot, mais ça n'a duré qu'un court instant.

Quand il s'est remis à hurler, je suis retournée retrouver maman, Mme M. et Belle qui, quand elle pleure, le fait sans hurler.

J'ai beaucoup écrit parce qu'il n'y a rien d'autre à faire ici. Mme M. ne lit que des revues religieuses, et c'est trop de prêchi-prêcha à mon goût. Belle et maman ont terminé le casse-tête, et maintenant j'entends maman qui lit à voix haute une histoire des *Five Little Peppers*. Belle se prend pour *Sophronia Pepper*. Je suis bien contente que maman et papa ne l'aient pas appelée Sophronia. Je préfère de loin le prénom d'Émilie Belle.

Maintenant Belle vient se coucher, et moi aussi je suis fatiguée, alors je vais me mettre au lit très tôt, même si c'est le soir du Jour de l'An. J'espère qu'elle ne me donnera pas des coups de pieds ce soir.

« Élisa, c'est bien de se retrouver ensemble, non? » m'a-t-elle dit, avant de bayer aux corneilles. Elle doit se sentir en sécurité avec moi, et c'est bien.

J'ai pris une résolution du jour de l'An sans le dire à personne. Cette année, je vais me faire couper les cheveux. J'avais laissé tomber cette idée parce que Hugo me l'avait demandé, mais il est temps pour moi de devenir une grande fille, et se couper les cheveux est le premier pas à faire.

Vendredi 2 janvier 1920

Papa est venu souper avec nous hier soir. Nous avons mangé une oie. Elle était très grasse, mais délicieuse. J'ai raconté à tout le monde les problèmes de Lavinia, et papa m'a prise à part pour me questionner de nouveau à propos du docteur Lewis. Il va peut-être passer voir le père d'Albert.

J'ai dit à maman que je voulais avoir les cheveux courts, et elle a dit qu'elle n'y voyait pas d'inconvénient. Dans la Bible, on dit que la chevelure d'une femme est « sa couronne de gloire ». Maman pense que saint Paul n'aurait pas dit cela si c'était *lui* qui avait à coiffer cette couronne. Bizarre qu'elle ait dit cela, car ses cheveux à elle sont longs, mais je me suis dit que je faisais mieux de me taire.

Elle a pris rendez-vous pour moi et a suggéré que je n'en dise pas un mot tant que ce ne serait pas fait. Comme Vérité l'avait fait. Tu parles que je m'en rappelle! Parfois c'est bien commode d'avoir une grande sœur qui prend les devants et vous ouvre la voie.

Je vais donc me présenter à l'école secondaire avec les cheveux courts, comme toutes les filles de mon âge.

Samedi 3 janvier 1920
Après le souper

C'est fait, j'ai les cheveux courts! Je me sens la tête beaucoup plus légère et un peu bizarre, comme si j'avais perdu une partie de moi-même en n'ayant plus mes cheveux longs. On dirait que ma tête veut se détacher de mon corps et s'envoler au loin. Tamsyn dit que je vais très vite m'y habituer. J'espère que Mme M. a un bon miroir dans notre chambre et que je pourrai m'y regarder sans que personne ne m'observe et fasse des commentaires désobligeants. Les gens ne sont pas toujours gentils. Même Mme M. a parfois une façon de sourire qui me donne envie de la gifler. Dans les livres on appelle cela un sourire « condescendant ». Je ne sais pas pourquoi, mais je sais que je déteste cela.

Personnellement, je me trouve très jolie, même si j'ai un œil un peu de travers.

Franchement, je me trouve absolument ravissante!

À l'heure d'aller au lit

Enfin, enfin, enfin! Lundi, nous retournons à la maison. Nous sommes aux anges! J'y suis passée aujourd'hui, pour y prendre un livre à lire, et j'y ai trouvé le docteur Lewis et papa habillés de vieux vêtements, en train de tapisser le bureau. Ils parlaient comme deux vraies pies. Je suis restée dans le couloir, immobile comme une statue de sel, et j'ai écouté. Papa lui disait qu'il fallait un autre docteur à Uxbridge et que ce serait un bon endroit pour ouvrir un cabinet. David n'a rien répondu, mais il n'avait pas l'air froissé. Je suis repartie à pas de loup, sans dire un mot. Si quelqu'un peut l'aider, c'est bien papa.

Je pourrais proposer aux Lewis de les aider à prendre soin du petit Albert, s'ils venaient vivre ici à Uxbridge. J'adore les bébés quand ils ne hurlent pas. J'adore rester toute seule avec eux et leur sourire en les regardant dans les yeux. Je fais semblant qu'ils sont à moi. J'aimerais même avoir des jumeaux. Non, je n'en suis pas si sûre. Je ne me rappelle plus tellement des nôtres quand ils étaient des bébés, sauf de Belle.

Lundi 5 janvier 1920

J'aurais dû le savoir, cher Journal, que les enfants du pasteur seraient obligés d'aller à l'école même un jour de déménagement! Maman a quand même réussi à convaincre papa de nous laisser revenir à midi et elle nous a écrit des mots d'excuses. Nous n'en croyons pas nos oreilles!

L'odeur de la maison est différente : un mélange de fumée, de bois neuf, de peinture, de plâtre, de savon et d'eau. Et aussi un peu de colle à tapisserie, sans doute. Il y faisait froid et humide avant que nous fassions du feu dans la cheminée et que papa démarre la chaudière. À l'heure de se mettre au lit, cher Journal, c'était devenu confortable. Tu ne trouves pas?

Aujourd'hui, Albert n'a pas pleuré pendant trois bonnes heures! Il était réveillé et gazouillait. Ce doit être à cause des promenades en landau. Maman dit que ça devait finir par arriver, mais j'aime quand même penser que j'en suis un peu responsable.

Je suis allée chez Tamsyn pour rapporter une assiette à gâteau que sa mère nous avait fait porter avec un succulent gâteau roulé à la confiture. Tout le monde avait l'air bien tranquille. J'ai pris Albert dans mes bras et me suis mise à marcher de long en large quelques instants. Puis j'ai dit que je devais repartir et j'ai tendu le bébé à son père.

Albert est plus intelligent qu'ils ne le pensent tous. Il a tendu les bras et s'est blotti contre la poitrine de son père. Le docteur Lewis m'a souri et m'a dit : « Merci Élisa pour tout ce que tu as fait pour nous ».

J'étais abasourdie, mais je ne suis pas restée pour en entendre davantage. Je suis partie en courant, avant que le charme ne soit rompu et que le cher Albert se rappelle de crier. Ma fenêtre donne du côté de leur maison, et je ne l'ai pas encore entendu émettre le moindre cri.

Enfin, nous sommes chez nous, sains et saufs. Ça fait du bien, même si Hugo, Jack et Vérité nous manquent. Nous sommes unis comme les doigts de la main. Et encore une fois, cher Journal, merci de nous avoir sauvés des flammes. Il y a toujours eu beaucoup d'amour dans notre famille, mais je pense qu'en cette nuit de Noël, nous avons appris à quel point nous comptons les uns pour les autres.

Maintenant, je vais dormir dans mon *propre* lit, et toute seule. Quel bonheur! Et je dirais même plus : quelle extase! Enfin, nous sommes réunis et bien chez nous.

Julia May Jackson

Du désespoir à la liberté

Julia May Jackson,
sur le chemin de fer clandestin

De la Virginie au Canada-Ouest
3 janvier 1863 - 15 avril 1864

KARLEEN BRADFORD

Après avoir franchi la dernière étape de leur dangereuse marche depuis la Virginie jusqu'au Canada, Julia May et sa famille pensaient avoir enfin gagné leur liberté. Mais même dans ce nouveau pays, les vieux préjugés persistaient, et la famille a dû repartir, en quête d'un endroit où les gens seraient vraiment prêts à les accueillir. À l'approche de Noël dans leur pays d'adoption, ils n'ont toujours pas de nouvelles de Thomas, le frère de Julia May, qui est retourné se battre aux États-Unis dans les rangs des Nordistes, au cours de la guerre de Sécession.

La prière de Julia May

Vendredi 15 décembre 1865
Owen Sound, Ontario, Canada

Nous sommes dans une maison bien à nous! Papa et maman ont finalement réussi à mettre assez d'argent de côté pour pouvoir acheter un bout de terrain au pied des falaises, dans l'est de la ville. Puis papa et Maurice nous ont construit cette petite maison. De nombreux gens de couleur habitent dans ce secteur, car le chantier naval est tout près, et bien des hommes et des jeunes garçons y trouvent de l'emploi. Sauf papa qui travaille toujours aux écuries. Il a tellement le tour avec les chevaux que M. Jones ne veut surtout pas le voir partir.

Nous sommes un tantinet à l'étroit, avec Sarah, Maurice et leur bébé Lisa, mais peu importe. Nous sommes trop heureux qu'elle nous ait retrouvés et qu'une partie de notre famille soit ainsi de nouveau réunie. Au printemps, ils vont louer une maison pas loin de chez nous. Ainsi, Maurice sera près du port et des barges où il travaille. Pour la première fois de notre vie, nous habitons dans une maison qui nous appartient! Un vrai rêve pour nous qui, il y a peine trois ans, étions encore des esclaves en Virginie.

Toutefois, nous nous faisons du souci pour Thomas. Nous pensions avoir de ses nouvelles peu de temps après la fin de la guerre aux États-Unis, en avril dernier, mais nous ne l'avons plus revu ni n'avons entendu parler de lui depuis qu'il est parti joindre les rangs du régiment d'hommes de couleur du président Lincoln. Au moins, où qu'il se trouve, Thomas est maintenant un homme libre puisque le président Lincoln a affranchi tous les esclaves après la victoire du Nord sur le Sud. Il n'est plus un esclave et peut aller où bon lui semble.

On dit qu'il règne encore une grande confusion là-bas aux États-Unis, tant au Nord qu'au Sud. Nous continuons donc de prier, en nous disant que c'est ce qui le retient là-bas et qu'il viendra nous rejoindre dès qu'il le pourra. Alors, nous serons de nouveau une vraie famille. L'idée qu'il puisse être mort nous est intolérable.

Samedi 16 décembre 1865

C'est mon anniversaire! Maman m'a préparé mon menu préféré pour le souper : du poulet avec des pâtes. Et Sarah a fait un gâteau aux pruneaux! J'ai laissé la petite Aleisha souffler sur les bougies avec moi : quatorze en tout. Je suis une grande fille maintenant, c'est sûr.

Maman et papa m'ont offert de nouvelles mitaines. Je vais avoir les mains bien au chaud. Les vieilles que j'avais étaient tout usées, surtout depuis que Bozo en a mâchouillé une. Il a eu l'air de se rendre compte de ce qu'il venait de faire et il était vraiment honteux, mais comme c'est un très bon chien d'habitude, je n'ai pas eu le cœur de le gronder.

Lundi 18 décembre 1865

Toute une journée! Elle avait bien commencé, mais, ma sainte foi, cela n'a pas duré. Amélie est venue chez nous cet après-midi, avec un sac de bonbons en cadeau d'anniversaire de la part de Mamie Taylor. C'était gentil de sa part. Amélie est encore ma meilleure amie, même si je ne peux pas pardonner à sa mère d'avoir dit ce qu'elle a dit quand j'ai emmené maman à l'église des Blancs. Je ne veux plus aller chez elle pour avoir des biscuits et du lait, et pourtant j'adorais les galettes à la mélasse de sa mère. Si j'essayais d'en manger maintenant, je m'étoufferais. S'ils ne veulent pas de ma mère dans leur église, je ne veux pas y aller non plus, même s'ils adorent m'entendre chanter. De toute façon, je peux chanter tant que je veux dans notre église à nous. Le révérend Miller a dit que j'étais comme « une pierre d'un diadème ».

Mais revenons à ces bonbons. Quand nous avons ouvert le sac, Joseph y a aussitôt plongé la main, et il a fallu que je partage avec lui. En partie pour nous débarrasser de lui, Amélie et moi avons décidé d'aller grimper la falaise à l'ouest d'Owen Sound. Je n'y suis pas retournée souvent depuis que nous avons déménagé de ce côté-ci de la rivière. Il faisait humide, mais il ne neigeait pas, alors nous avons pensé que ça irait. Erreur! Bozo nous a accompagnées, comme d'habitude. Quand nous sommes arrivées au pied de la falaise, je lui ai dit de rester là. Il m'a toujours bien écoutée, et je ne sais pas ce qui lui a pris aujourd'hui. Quand je m'en suis rendu compte, il était trop tard. Stupide chien! Les rochers sont glissants et pleins de trous et de crevasses : rien de bon pour un chien!

Nous venions tout juste d'arriver en haut quand j'ai entendu aboyer en bas. J'ai tout de suite su que c'était Bozo et, même si je ne pouvais pas le voir, je savais juste à l'entendre qu'il était dans le pétrin. Il fallait que je retourne le chercher au plus vite. Nous sommes redescendues le rejoindre et, comme il fallait s'y attendre, il avait glissé dans un grand trou entre deux rochers et ne pouvait pas en ressortir tout seul. Je me suis penchée pour le prendre, mais c'était trop profond, et il était de plus en plus affolé. Je le voyais qui tirait et tirait, mais une de ses pattes était coincée. J'avais vraiment peur qu'il se blesse à force de tirer dessus, alors j'ai fait de mon mieux pour le calmer, mais rien de ce que je disais ne marchait. J'étais en train de devenir aussi affolée que lui.

Finalement j'ai eu une idée. J'ai dit à Amélie que j'allais m'étendre par terre au bord du trou et tendre les bras vers le fond. Je lui ai dit de me retenir par les pieds pour m'empêcher de tomber. Elle a commencé par rechigner, mais je ne lui ai pas donné le choix. Je m'inquiétais pour Bozo. Je me suis donc étendue, ai tendu mes pieds à Amélie et mes bras à Bozo.

« Si tu ne me retiens pas, je vais tomber! » ai-je crié à Amélie. Je voulais lui faire peur pour qu'elle me tienne par les pieds, mais soudain je me suis rendu compte que c'était *la pure vérité*! Les rochers étaient glissants et pleins de mousse, et j'étais en train de glisser dans le trou sans pouvoir rien y faire! Dieu merci, elle s'est ressaisie à temps et a saisi mes chevilles. Elle a serré si fort qu'elles sont pleines de bleus maintenant, mais ça m'a empêchée de tomber au fond. J'ai fini par rejoindre Bozo et dégager sa patte de la crevasse. Le pauvre chien était si heureux de me voir qu'il n'arrêtait pas de me lécher le visage.

Finalement j'ai réussi à le libérer, et il a pu se hisser lui-même hors du trou. Mais là, j'avais un autre souci : comment allais-je faire pour ressortir de là? « Tu dois me tirer par les pieds pour me sortir de là », ai-je crié à Amélie. Mais j'avais peur qu'elle n'en soit pas capable, car elle est plutôt frêle. Elle y est tout de même parvenue. Elle a réussi à me remonter suffisamment pour que je puisse ensuite sortir moi-même en poussant avec mes mains contre les parois du trou. Je suis restée assise par terre un petit moment, à reprendre mon souffle. Bozo était complètement fou, courant et sautant dans tous les sens. Je ne savais pas si je devais le gronder ou le féliciter.

J'avais envie de faire les deux. Puis, bien sûr, il a fallu redescendre la falaise. C'était bien plus dur que de grimper!

Voilà comment s'est terminée notre journée. Je crois que nous ferions mieux de ne plus aller grimper cette falaise avant l'été prochain. Et je ferais mieux de bien enfermer Bozo, la prochaine fois.

Vendredi 22 décembre 1865

La semaine prochaine, c'est Noël! J'ai tellement hâte! Les Noëls au Canada sont merveilleux! M. et Mme Frost, de Sheldon Place, ont installé un grand sapin dans leur maison et l'ont couvert de décorations et de bougies. La veille de Noël, ils allument les bougies dans le sapin et invitent tout le monde, les gens de couleur comme les Blancs, à venir l'admirer. Puis des gens viennent chanter des cantiques, et ils leur offrent à boire du cidre chaud parfumé aux épices. En général, il neige dehors, et c'est vraiment très joli. L'an dernier, Mme Frost nous a fait porter un bon gros poulet à faire cuire pour le jour de Noël. M. et Mme Frost sont si bons! Pas étonnant, quand on y pense : ils ont construit dans leur propriété des petites maisons pour les esclaves qui ont réussi à se rendre jusqu'ici grâce au chemin de fer clandestin et ils leur permettent d'y habiter tant qu'ils n'ont pas trouvé une maison bien à eux, comme nous.

Nous n'aurons pas de sapin dans notre petite maison, mais nous allons faire un bon gros feu, et maman va préparer un bon souper. Ensuite nous irons à notre église où nous écouterons le sermon de Noël du révérend Miller et nous chanterons des cantiques. Ce sera particulièrement bien cette année, car Noël tombe un dimanche, et ça veut dire que nous aurons un office le matin et encore un autre le soir.

J'adore Noël, mais oh, j'aimerais tant que Thomas soit ici! Quand donc aurons-nous de ses nouvelles? Notre famille a été trop longtemps séparée. Dieu merci, Sarah nous est revenue avec sa famille, mais Noël nous fait toujours penser à Caleb et Daniel, qui ont été vendus, il y a plusieurs années. Je pense que maman et papa ne le supporteraient pas si nous perdions Thomas aussi. En tout cas, moi je ne l'accepterais jamais.

Et Noah me manque, même s'il y a deux autres enfants de couleur dans ma classe cette année. Quand Noah est parti travailler sur la ferme de ses parents, je n'ai pas aimé être la seule élève de couleur. Mais il n'y a pas que cela : je m'ennuie vraiment de Noah.

Je n'aurais jamais cru qu'un jour j'arriverais à dire une chose pareille, vu la façon qu'il avait de toujours me provoquer quand je l'ai connu. Comme les choses peuvent changer! J'espère encore qu'il reviendra à l'école, un de ces jours. Lui qui est si intelligent et qui aime tant apprendre, c'est bien dommage qu'il ait quitté l'école. Mais je ne peux le blâmer. Les Blancs lui faisaient la vie vraiment trop dure. Je ne comprends pas comment on peut être si méchant.

Samedi 23 décembre 1865

Le révérend Miller est passé chez nous sans s'annoncer. Maman s'est précipitée à la cuisine pour lui préparer du thé et des gâteaux, mais il lui a dit de ne rien faire de spécial pour lui. Il l'a complimentée pour son pain au maïs, disant que c'était le meilleur qu'il avait mangé de toute sa vie. « Rien ne vaut le pain de maïs de la Virginie », dit toujours maman. Personne au Canada ne le fait mieux qu'elle.

Finalement, il était passé nous voir parce qu'il voulait que je chante un cantique à la messe de Noël. En solo! Au début, je ne savais pas quoi répondre, puis j'ai été vraiment emballée par cette idée. Nous avons réfléchi à ce que je pourrais chanter et avons choisi *Joy to the World*. J'adore ce cantique. J'adore le chanter à pleins poumons.

Dimanche 24 décembre 1865

À l'église ce matin. Incapable de me concentrer sur le sermon du révérend Miller. Trop occupée à penser à mon solo de ce soir. Pas vraiment inquiète : tout le monde est si gentil! Maman a travaillé fort et m'a fait une robe neuve d'un beau rouge vif. Elle a tressé mes cheveux et les a montés en couronne sur ma tête, et papa m'a rapporté du magasin un ruban rouge, en guise de cadeau de Noël. Je vais être superbe.

Plus tard

Comment te dire ce qui s'est passé à l'église ce soir?

Par où commencer? Je n'ai pas le temps qu'il faudrait pour tout écrire, et je suis encore trop pleine d'émotions. Je crois que je vais simplement me mettre au lit et garder tout ça dans mon cœur jusqu'au moment où j'aurai assez de temps pour te le raconter plus clairement.

Mardi 26 décembre 1865

Il est vraiment très tard, tout le monde dort, et je peux enfin écrire ce qui s'est passé. J'ai une bougie neuve à côté de moi et je crois qu'elle va être presque toute fondue quand j'aurai fini de tout mettre par écrit.

Comme c'était la veille de Noël, nous avons décoré notre maison avec des branches de sapin. J'adore leur parfum dans la maison! Maman nous a fait un bon ragoût avec beaucoup de morceaux de viande, et Sarah a confectionné plein de gâteaux pendant que je m'occupais des petits. Lisa marche tout partout maintenant, et je dois la surveiller de très près, sinon elle pourrait se faire mal. Je ne l'aurais jamais cru, mais Joseph m'aide beaucoup avec elle : elle le suit partout, et ça ne le dérange même pas. En fait, ça lui plaît bien. Et notre petite Aleisha fait ses premiers pas et semble bien décidée à le suivre, elle aussi. Ça l'occupe, surtout quand il fait trop froid pour les emmener dehors. C'est vraiment amusant de le voir avec ces deux bébés.

Mme Frost nous a fait porter un jeune poulet à rôtir pour notre repas de Noël, même si nous n'habitons plus sur leur propriété. C'est généreux de sa part, et nous l'avons apprécié, en particulier pour la raison que je vais expliquer ci-dessous.

Après notre souper, nous sommes retournés à l'église. C'était très beau à voir dehors, avec toutes les bougies allumées aux fenêtres, et le givre qui dessinait une couronne de dentelle autour de leur flamme. Le révérend Miller n'a pas vraiment fait de sermon; il a simplement raconté l'histoire de la Nativité. Nous étions tous assis bien tranquilles. Sarah tenait Lisa, avec Maurice à ses côtés, et je pouvais voir des larmes dans ses yeux quand le révérend a raconté la partie avec les Rois Mages qui apportent des présents à l'Enfant Jésus. J'étais moi-même au bord des larmes, mais en même temps mon estomac me disait de m'énerver pour mon solo, alors je n'ai pas pleuré.

Nous avons chanté des psaumes et des cantiques de Noël, et tout le monde était dans l'esprit des Fêtes, s'amusant beaucoup et applaudissant très fort. Puis le révérend Miller s'est dirigé vers nous et m'a emmenée jusqu'en avant en me tenant par la main, pour que je chante mon cantique. J'étais là, debout. J'ai pris une grande respiration et j'ai laissé la musique sortir de ma bouche avec toute la puissance de ma voix. Toute ma nervosité s'est envolée. Je me sentais remplie de la joie que proclamait mon cantique.

Soudain la porte s'est ouverte, et quelqu'un est entré. Tout le monde a tourné la tête pour voir qui arrivait si tard. C'était un jeune homme vêtu d'un habit militaire bleu, tout sale et déguenillé.

J'ai d'abord cru que c'était Thomas et j'ai eu un pincement au cœur. J'ai cessé de chanter au beau milieu d'une phrase. Puis je me suis rendu compte que ce n'était pas lui et j'ai presque éclaté en sanglots, sauf que là, j'ai reconnu Jérémie, le gars qui avait convaincu Thomas de retourner dans le Sud avec lui pour combattre avec l'armée de l'Union. S'il était là, me suis-je dit, c'est qu'il devait savoir quelque chose à propos de Thomas! Je n'ai pas pu me retenir : j'ai couru dans l'allée, à sa rencontre. J'ai vu maman et papa qui me regardaient d'un air indigné, puis ils ont vu qui c'était et eux aussi se sont précipités vers lui. Quel brouhaha! Tous les fidèles se sont levés de leur siège pour venir nous entourer.

« Jérémie! a crié papa. Thomas est-il avec toi? »

Jérémie s'est contenté de faire signe que non. À voir la tête qu'il avait, un grand silence s'est abattu sur nous tous.

« Il n'est pas mort, Jérémie? a hurlé maman. Oh, Jérémie! Dis-moi qu'il n'est pas mort! »

Jérémie a encore secoué la tête et, pendant un instant, il a semblé incapable de parler. Maman s'est soudain sentie mal, et papa a dû la soutenir pour l'empêcher de tomber par terre. Lui-même tremblait autant qu'elle.

Finalement, Jérémie a parlé : « Non, madame, a-t-il dit. Pas mort, mais blessé. C'est assez grave, je crois. La dernière fois que je l'ai vu, on le sortait du champ de bataille pour le transporter dans une tente-hôpital.

Quand la bataille a été terminée, j'ai tenté de le retrouver, madame. J'ai essayé tant que j'ai pu, puisque c'est moi qui l'avais emmené là-bas. Mais rien à faire. Alors je me suis dit que le mieux était encore de venir vous trouver pour vous avertir.

Le révérend Miller a descendu l'allée et lui a tendu la main. « Soyez le bienvenu parmi nous, mon fils, a-t-il dit. Bon retour de la guerre! Nous sommes très heureux de vous accueillir. » Puis il s'est tourné vers moi. « Viens, ma fille, m'a-t-il dit. Tu as un cantique à terminer. »

À vrai dire, je ne me sentais pas capable de chanter une seule note. J'avais la tête pleine d'idées tout emmêlées et je ne savais pas si j'étais heureuse ou malheureuse. Tout ce que j'arrivais à faire, c'était de me demander si Thomas était vivant et si oui, où il était et pourquoi il n'était pas revenu lui aussi. Et si jamais il succombait à ses blessures?

Le révérend Miller m'a alors entouré les épaules de son bras et m'a ramenée à l'avant de l'église. Il a repris le cantique là où je m'étais interrompue et j'ai été bien obligée de me joindre à lui. Ma voix chevrotait, et j'avais du mal à retenir mes larmes, mais grâce au révérend Miller qui me serrait contre lui, j'ai fini par m'apaiser. Toutefois, je ne chantais pas avec autant de joie qu'au début. C'était plutôt une prière que je chantais.

Je suis trop épuisée pour terminer cette histoire ce soir. Je vais donc économiser un petit bout de ma bougie pour pouvoir la terminer demain.

Mercredi 27 décembre 1865

Jérémie est venu chez nous pour le dîner de Noël. Il va retourner à Toronto. Il dit qu'il aura plus de chance d'y trouver du travail et qu'il veut être là quand Thomas reviendra, pour pouvoir lui dire où nous sommes rendus. Il est certain que, quand Thomas apprendra que nous ne sommes plus à Toronto, il ira voir le révérend Brown à l'église que nous fréquentions là-bas, et Jérémie le trouvera là-bas.

Maman ne veut pas qu'il reparte. Il est si épuisé qu'elle trouve impensable pour lui de refaire tout ce chemin dans le froid et la neige, mais sa décision est prise. Je crois que maman se sent un peu plus proche de Thomas, avec Jérémie qui est ici, mais papa est d'accord qu'il devrait être à Toronto quand Thomas y retournera.

Si jamais il le peut! Personne n'en dit mot, mais nous pensons tous la même chose : et s'il ne se remettait pas de ses blessures? Et si...?

Mais je ne peux pas le croire. Je refuse de le croire.

Thomas est en vie et il nous reviendra, c'est sûr et certain!

Ce sera notre miracle. Je le sais.

Notre famille a traversé de dures épreuves. Ce soir, nous nous sommes assis autour de la table en nous tenant par la main et nous avons remercié le Seigneur de veiller sur nous. Papa a ajouté une prière pour Thomas, Daniel et Caleb. Nous n'avons plus jamais entendu parler d'eux, après qu'ils ont été vendus, et nous n'aurons peut-être plus jamais de leurs nouvelles. Mais où qu'ils soient maintenant, s'ils sont toujours vivants, ce sont des hommes libres. L'esclavage n'existe plus aux États-Unis et n'existera plus jamais.

Néanmoins, nous ne retournerons pas là-bas. Le Canada est notre pays maintenant, et c'est un bon pays.

Seule au Nouveau Monde
Hélène St-Onge,
Fille du Roy
Maxine Trottier

Une vie à refaire
Mary MacDonald,
fille de Loyaliste
Karleen Bradford

Adieu, ma patrie
Angélique Richard,
fille d'Acadie
Sharon Stewart

Ma sœur orpheline
Au fil de ma plume,
Victoria Cope
Jean Little

Un océan nous sépare
Chin Mei-ling,
fille d'immigrants chinois
Gillian Chan

Mon pays à feu et à sang
Geneviève Aubuchon,
au temps de la bataille des plaines d'Abraham
Maxine Trottier

Mes frères au front
Élisa Bates,
au temps de la Première Guerre mondiale
Jean Little

Entrée refusée
Déborah Bernstein,
au temps de la Seconde Guerre mondiale
Carol Matas

Des pas sur la neige
Isabelle Scott
à la rivière Rouge
Carol Matas

Une terre immense à conquérir
Le journal d'Evelyn Weatherall,
fille d'immigrants anglais
Sarah Ellis

Le temps des réjouissances
Dix récits de Noël

Un vent de guerre
Suzanne Merritt,
déchirée par la guerre de 1812
Kit Pearson

Si je meurs avant le jour
Fiona Macgregor,
au temps de la grippe espagnole
Jean Little

À la sueur de mon front

Flore Rutherford,
11 ans, enfant ouvrière
Sarah Ellis

Rêves déçus

Le journal d'Henriette Palmer,
au temps de la ruée vers l'or
Barbara Hatworth-Attard

Prisonniers de la grande forêt

Anya Soloniuk,
fille d'immigrants ukrainiens
Marsha Skrypuch

Du désespoir à la liberté

Julia May Jackson,
Sur le chemin de fer clandestin
Karleen Bradford

Du sang sur nos terres

Joséphine Bouvier
Témoin de la rébellion de Louis Riel
Maxine Trottier

Illustrations de l'intérieur : pages 31, 53, 103 et 199 de Susan Gardos.

Illustrations de l'intérieur : pages 1, 177, 125, 147, 175 et 225 de Colin Mayne.

Illustrations de la page de couverture de Greg Ruhl.

MIXTE
Papier issu de
sources responsables
FSC™ C016245